Encore du 'Figaro'

Encore du 'Figaro'

Also by G. J. P. Courtney
Les meilleures pages du 'Figaro'
Je vous présente...
Vigeois par les Vigeoyeux

Tape Recordings
Nine interviews from 'Je vous présente...'
Vigeois par les Vigeoyeux

Encore du 'Figaro'

selected by

G. J. P. Courtney, M.A.

Headmaster of Isleworth Grammar School

LONGMAN

LONGMAN GROUP LIMITED
London
Associated companies, branches and representatives
throughout the world

© Longman Group Ltd (formerly Longmans, Green and Co Ltd) 1969

First published 1969
New impression 1979
ISBN 0 582 36026 9

COVER
'Guitare, verre et bouteille' (1912) by Pablo Picasso, Tate Gallery
© S.P.A.D.E.M., Paris

Printed in Hong Kong by
Commonwealth Printing Press Ltd

Table des matières

(The number in brackets is the issue number of *Le Figaro*.)

Les Dessins de Piem

Preface

This further selection of extracts from *Le Figaro* has the same purpose as the earlier volume – to provide post-O level students, whether at school or in further education, with a wide variety of good writing on subjects of contemporary interest. It differs somewhat in approach from the first selection in being more representative of the normal make-up of the newspaper. There are more cartoons, all of which lend themselves to discussion, and there are some extracts which are mainly informative in character.

The *Vocabulaire* contains most of the less usual words which occur in the extracts but it is assumed that the reader will be able to consult a dictionary.

Once again, I wish to thank the management of *Le Figaro* for permission to publish the articles and illustrations, but particularly I should like to thank the individual authors and Piem for their readiness to allow me to use their work and the interest they have shown in this venture. I am grateful to Mme M. Bosc for several valuable suggestions and to Mr. C. E. McGuire for reading the text.

The number of the issue in which each item originally appeared is given in the *Table des matières*.

G.J.P.C.

1 Loisirs

1 LA MAISON BOUGE!

Je suis le premier en France à avoir eu une caravane. Les Anglais seuls utilisaient ces remorques. Je l'avais importée et, quand elle débarqua au Havre, les gosses battirent des mains: « Le cirque! Le cirque!... » Mon premier bénéfice fut donc d'être pris pour un clown.

Et je partis sur les routes désertes; point besoin d'afficher alors: « Je roule pour vous ralentir. » J'avais peint sur la caisse les mots: « La Bougeotte » et l'insigne du T.C.F.,[1] un escargot drapé dans un pavillon tricolore, comme s'il chantait *La Marseillaise* le 14 Juillet. Puis je vécus sur les chemins de France, sans approcher jamais d'un camp de concentration, car pour nous concentrer il eût fallu être deux... J'appris beaucoup de choses et connus bien des joies. Les gens étaient délicieux pour le premier caravanier! Près de la maison de Mistral,[2] une nuit, je fus dérangé par un bruit, venu du fossé d'où surgirent deux yeux brillants. ... Un bandit? Non, un bon paysan qui allait arroser son champ selon les lois de l'eau et de la Provence. Il me dit poliment: « Déplacez-vous juste un peu. ... Je ne voudrais pas vous mouiller, té! J'ai attendu une heure sans oser vous réveiller. ... »

Ainsi ai-je appris par cœur, dans ma solitude, la gentille campagne française et les siens. Je sais, grâce aux bruits sous ma caravane, que dans les bois il y a foule la nuit: gens distraits, les mains collées derrière le dos, tenant un lapin; chars de foin remplis de mystère – et d'autres choses quand dorment les gendarmes. La forêt de Compiègne, dangereuse pour un solitaire, grouille comme le métro. Mais je ne fus attaqué qu'une fois: après un bruit sauvage dans les buissons, une brute fonça sur moi dans l'ombre. Je ne tirai pas sans l'éclairer. Et je n'eus plus qu'à lui caresser le nez: c'était un gros âne échappé...

Tous les paysans, en ce temps-là, m'ont permis de camper. Quand j'ai dormi sur le plateau des Alpilles,[3] sous l'arc de triomphe, le gardien, inquiet, m'a dit: « Ne dégradez rien... » J'ai tout laissé en bon état. Et à l'aube bleue je n'avais pas le transistor d'un voisin pour me bailler des nouvelles de Nasser – qui ne demande jamais de nouvelles de moi.

J'ai vu, près de Pau, un laitier à la fontaine, complétant la nuit ses bidons avec l'eau du Gave.[4] J'ai appris, près des villages, que les

1 T.C.F. – Touring Club de France.
2 Frédéric Mistral – poète provençal (1830–1914).
3 les Alpilles – petit massif montagneux des Bouches-du-Rhône.
4 le Gave – torrent dans les Pyrénées.

chiens ont un cri spécial pour insulter le facteur, dangereux, et ainsi nommé parce qu'il apporte des factures. Partout chez nous les oiseaux assis dans les branches faisaient leurs gentils commentaires. Les migrateurs sont les seuls touristes qui reviennent toujours.

Voilà le vrai repos! Voilà les vacances où l'on serre un pays sur son cœur. Plus tard, « car l'homme, disait Charles Cros, est bien stupide », j'ai trouvé ce rythme lent. Je n'ai plus eu que des avions, qui débutaient aussi en Angleterre, des Gipsy Moth. Cela me permit de connaître Sir Francis Chichester, qui a pris leur nom pour ses navires, car ce héros a commencé par guider l'aile d'un avion avant de lutter avec ses hautes voiles.

Qu'est-ce que voyager si ce n'est bâtir sa vraie fortune sur ses souvenirs? Je n'ai jamais oublié ma « Bougeotte »... Après les roulottes, j'ai eu quinze avions, et conduire d'un doigt léger une hirondelle en plein ciel est bien différent de s'éveiller sous un arbre chargé de pinsons.... Mais les deux impressions sont inoubliables, et je remercie le charmant Destin d'avoir été le seul bipède au royaume de France à avoir débuté comme escargot et fini comme hirondelle.

HERVÉ LAUWICK

2 L'HOTEL LE PLUS SILENCIEUX DE FRANCE

On me dit que je suis le premier journaliste à déjeuner à l'Hilton, d'Orly. Ce genre de précision ouvre l'appétit et flatte l'amour-propre. Pour l'instant, c'est surtout le dernier nommé que l'on satisfait. Car on achève tout juste l'installation des cuisines et l'aménagement du restaurant qui, à l'enseigne de la Louisiane et grâce à des spécialités régionales, permettra aux citoyens américains en transit de ne pas se dépayser le palais.

Dès qu'on franchit la porte du premier « grand hôtel d'aéroport » de la presqu'île européenne (mais oui!), on a l'impression d'avoir passé la frontière et de n'être plus en France: les patios de verdure alternent avec des salles de meetings et de conférences où l'on met à la disposition des congressistes des services de secrétariat et de traduction. Par les larges baies le regard se pose sur le bâtiment central de l'aéroport qu'on peut atteindre après cinq minutes de marche, sur certaines pistes, sur la nouvelle tour de contrôle, sur les autoroutes entrelacées et les échangeurs, dont le panorama donne au plus traditionnel beefsteak pommes frites un arôme de futurisme. Bientôt, sur les larges espaces verts aménagés autour de l'hôtel, on plantera les arbres offerts par les compagnies aériennes du monde entier. Toutes les essences seront ainsi représentées à l'exemple des stations-service voisines.

A Orly, le grand problème était évidemment l'insonorisation. Les architectes avaient tellement peur du bruit des avions à réaction qu'ils ont multiplié les précautions. Résultat: on est saisi dans les couloirs et dans les chambres par un énorme et pesant silence. Toutes les rumeurs citadines habituelles sont effacées par miracle. Non seulement il n'est pas question d'entendre un Boeing qui décolle, mais encore on a du mal à percevoir un pas humain.

Le décor est celui des Hilton traditionnels, c'est-à-dire sobre, fonctionnel, délassant et conçu de telle sorte que le client ne sache jamais au réveil dans quelle partie du monde il se trouve exactement. Sur le cadran du téléphone on peut appeler la femme de chambre ou le bagagiste en composant exactement le même indicatif qu'à Tokio ou à Athènes. Mais, en prime, on est relié en ligne directe avec le bureau de courtoisie de l'aéroport et on peut ainsi, sans quitter son lit, savoir si son avion a du retard et se rendormir immédiatement lorsque le plafond est trop bas. Certains appartements possèdent la télévision, tous utilisent l'air conditionné et les enfants y sont accueillis gratuitement.

Comme le ministre Dumas a décliné l'honneur de venir inaugurer officiellement l'hôtel, c'est M. Ravanel, commissaire au Tourisme, qui présidera la petite cérémonie du 29 octobre. Huit jours plus tôt, vingt-cinq hôteliers à quatre étoiles festoieront pour célébrer la naissance de ce nouveau concurrent.

L'an prochain, si tout va bien, on construira une piscine. En attendant, on fourbit frénétiquement l'appareil hôtelier. Le premier client a été le maire de Moscou, qui a pu se livrer à de fructueuses comparaisons avec l'Ukraine. Les suivants, un couple en voyage de noces, à qui on a fait cadeau de leur séjour.

3 L'ENFANT DEVANT LA TELEVISION

Quelle est l'attitude des enfants devant la Télévision? A cette importante question, une récente enquête de l'unesco apporte quelques éléments de réponse. Sous le titre: « Les enfants devant la Télévision », Robert Faherty, dans les Informations de l'unesco, analyse les résultats de cette intéressante enquête qui avait pour sujet: « *L'influence de la Télévision sur les enfants et les adolescents* ».

Remarque fondamentale: partout où la Télévision diffuse chaque jour un nombre important d'heures, elle a une influence dominante sur les loisirs des enfants. Deux questions se posent donc: les heures passées par les enfants devant la « Télé » familiale sont-elles bien ou mal employées? La TV est-elle bénéfique ou nuisible?

Avant de répondre, le professeur Wilbur Schramm pose une autre question: « *Que feraient donc Johnny et Mary s'ils n'étaient pas occupés à suivre sur le petit écran les aventures d'un shériff poursuivant des bandits?* » Et il répond: « *Ils consacreraient leurs loisirs à la radio, au cinéma, aux comics et aux illustrés.* »

Beaucoup de maîtres estiment que la Télévision réduit considérablement les heures que les enfants devraient consacrer à leurs devoirs scolaires. Mais, si l'on en croit les enquêteurs, cette opinion ne serait pas fondée.

Mais combien d'heures de loisir les enfants passent-ils devant le petit écran? Des données recueillies en Angleterre, aux Etats-Unis et au Japon permettent de répondre qu'entre 6 et 16 ans les jeunes consacrent en moyenne 12 à 14 heures par semaine à la TV, ce qui représente dans l'année 500 à 1.000 heures, ou encore 6.000 à 12.000 heures étalées sur douze ans. Et les chercheurs de conclure que certains enfants passent, au cours de leur scolarité, autant d'heures devant la Télévision qu'en classe! Mais la proportion varie naturellement selon les pays.

Comment expliquer cet engouement des jeunes? Pour beaucoup d'adolescents, la TV est d'abord un prétexte à se réunir, mais aussi une manière de se « tenir à la page ». Sur le petit écran, le monde des adultes est presque à la portée des jeunes. Et, comme le cinéma, la TV permet de s'évader de la routine quotidienne et de s'identifier à des héros aux aventures souvent fabuleuses.

Contrairement à certaines opinions, les recherches font apparaître que « la Télévision ne fatigue pas plus la vue que la lecture et n'affecte pas l'état général ». Mais il est naturellement beaucoup plus difficile d'évaluer les effets de la Télévision sur la santé mentale de l'enfant et sur son comportement.

Selon les enquêteurs, le bilan reste positif. Grâce à la Télévision, les enfants et les adolescents restent plus facilement au foyer, et les jeunes acquièrent de très nombreuses connaissances.

Cependant, passé l'âge de 12 ou 13 ans, les enfants intelligents tendent à délaisser la TV. C'est ce que confirme un rapport anglais: « Si, à 10 ans, les enfants peuvent encore apprendre quelque chose en regardant la Télévision, à 13 ans, seuls les enfants retardés sont dans ce cas et, plus un enfant est intelligent, moins la Télévision l'intéresse. Faut-il en conclure que beaucoup de programmes qu'on nous offre chaque soir se situent, du point de vue intellectuel, au niveau d'un enfant de dix ou douze ans? »

Jusqu'à présent, estime M. Schramm, on est loin d'avoir tiré le meilleur parti possible de ce mode d'expression qu'est la Télévision. Sans doute conviendrait-il d'étudier comment on pourrait rendre les programmes plus intéressants, plus instructifs, « de sorte qu'au lieu d'abaisser le goût de nos enfants au niveau d'une certaine forme de distraction, nous puissions les amener à s'intéresser à un plus grand nombre de programmes et sachions les encourager à considérer la Télévision comme une fenêtre ouverte sur le monde plutôt que comme un moyen d'échapper momentanément aux tensions résultant de la croissance ».

4

FESTIVAL DU SON
STEREO – HAUTE FIDELITE

« Moins fort, votre stéréo ! »

4 LA CORVEE DE PLAGE

Oh! Je les plains de tout mon cœur, ces pauvres 75,[1] ces malheureux
78, qui descendent dans le 06, et aussi les G.B. qui viennent passer
leurs vacances en Europe. Leur vie est dure.

Nous, les commerçants de la Côte d'Azur, il faut aussi, bien sûr,
que nous composions avec la chaleur et le soleil. Mais nous rusons.
Nous portons le chapeau ou la casquette, nous nous trouvons un coin
d'ombre à l'heure de la canicule, nous fermons la boutique quand la
sieste nous prend, et, si l'envie de loisir nous démange, la pétanque

1 numéros d'immatriculation de voitures, correspondant aux départements
d'origine: 75 (ville de Paris), 78 (Yvelines), 06 (Alpes-Maritimes).

nous attend sous les platanes. C'est-à-dire qu'il y a de l'élasticité dans notre emploi du temps.

Mais les 75, les 78 et les G.B., oh leur calvaire! Dès 9 heures du matin, il leur faut partir pour la corvée de plage. Pas de discussion, ils sont venus pour cela. Le soleil, ils en demandent, il paraît qu'ils n'en ont pas dans leur 75 ou dans leur G.B. Et, comme il leur faudra, plus tard, prouver dans leur quartier qu'ils en ont eu, du soleil, c'est indispensable qu'ils rapportent une peau à conviction, bien brune. Alors, naturellement, ils s'exposent comme des objets de vente courante, aux alentours de midi, quand nous prenons, nous, un peu de frais dans l'arrière-boutique.

Le vacancier aimerait sans doute flâner au lit, mais il doit être à à la plage dès 9 heures pour occuper le terrain. Chacun a droit à six mètres carrés, ai-je lu dans les journaux. Mais ces six mètres carrés, deux sur trois ou trois sur deux selon qu'on est plutôt long ou plutôt large, on ne peut pas les retenir en plantant un drapeau. Si on n'y était pas, ce serait un autre. Aussi, pas moyen de quitter son petit territoire, sous peine de le voir s'autodéterminer comme une ancienne colonie.

Il y en a un qui part devant, le délégué du groupe, le responsable, généralement le père. Je le vois passer le matin et je le plains. Il porte un cabas lourd du déjeuner avec le melon familial, les glaçons dans la thermos, la viande froide et le vin qui vont chauffer, le café qui trouvera tout de même le moyen de refroidir. Il a aussi les serviettes et les matelas pneumatiques pas encore gonflés, car l'air, au moins, il le trouvera sur la plage.

Les femmes, les enfants, quelquefois des amis le suivent ou le suivront un peu plus tard. La mère emporte un tricot, moins pour se couvrir que pour se désennuyer. Les enfants, des seaux, des pelles, sans quoi le sable ne leur servirait de rien. Et puis, ils emportent encore les huiles, celles qui aident à se faire des coups de soleil, et celles qui aident à se guérir.

Tous les membres de l'expédition sont nus, autant qu'il est permis, afin de tout exposer au soleil, visage compris. Un coin de blanquette sur un fond de bifteck bien saisi, ce n'est pas joli et on le redoute. Quand la troupe est passée, notre ville retrouve sa tranquillité, son aspect d'avant les vacances.

Nous voici de nouveau entre nous et il n'y a guère que les voitures posées sur les trottoirs pour indiquer que nous sommes provisoirement occupés. Les étrangers à l'accent du Nord ne reviendront pas avant 6 heures du soir, comme si le bord de mer était une maison de commerce qui ne plaisante pas avec les questions de présence.

Alors on les voit rentrer à la ville, détendus, libérés, sans obligations pour la nuit. Le soleil décline, ils peuvent ôter les lunettes noires. La brise du soir frissonne et ils peuvent remettre la chemisette flottante. Vidés de leur contenu, leurs sacs semblent légers, eux aussi.

6

Les 75 et 78 entrent dans la vie locale et dans les boutiques, ils achètent des journaux et des cartes postales, ils parlent aux gens du pays sans être trop honteux de leur accent. Certains regardent la partie de pétanque et les plus hardis se mêlent de faire des remarques incompétentes aux meilleurs pointeurs de la région. Tandis que la mère et les enfants rentrent dans leur logement ou dans leur hôtel pour s'enlever le sable ou pour préparer le dîner, le père profite de son heure de loisir comme un homme, pour prendre le pastis à la terrasse du café.

Seulement, il garde dans les yeux la mélancolie de ceux qui n'ont pas de projets d'avenir à faire. Il sait bien que demain, dès le soleil revenu, il lui faudra retourner à la plage.

JEAN FAYARD

5 LES SPORTS D'HIVER
A. Une véritable révolution

Les premiers flocons de neige commencent à voltiger au-dessus des Alpes. Dans quelques semaines, les trois coups pourront être frappés: la saison blanche va commencer.

Le temps est venu de se poser quelques questions d'ailleurs fort agréables: où irons-nous cet hiver? Quand partirons-nous? Avec qui? Notre équipement est-il au point? Et la forme physique? Dans cette page spéciale et dans celles qui suivront, nous tenterons de vous aider à réussir vos vacances de neige.

Depuis vingt ans les sports d'hiver ont accompli en France une véritable révolution. Une nouvelle génération est née, en quelque sorte, les « planches » aux pieds. Dans toutes les stations, la clientèle devient chaque année plus sportive.

Le ski s'est aussi démocratisé. Il est dès maintenant à la portée d'un grand nombre et, demain, il doit être accessible à tous.

Les goûts, enfin, ont changé. On va plus haut. On cherche des pistes plus longues, plus difficiles, plus belles. On ne veut plus perdre les plus belles heures de la journée en longues files d'attente aux téléphériques et aux remonte-pente. Au diable aussi ces cérémonieux repas qui n'en finissent plus! Le skieur d'aujourd'hui recherche l'hôtel moyen, confortable certes, mais simple et sympathique.

Tout cela implique un élargissement du domaine skiable. Dans de nombreuses stations – les meilleures – il y a aujourd'hui saturation aux époques de pointe, c'est-à-dire à Noël, à Pâques et dans la première quinzaine de février. Les pistes deviennent de véritables jeux de quilles où l'on ne sait plus très bien si l'on est boule ou si l'on est quille.

Plusieurs stations « sur mesure » qui préfigurent ce que sera le ski de demain sont en voie de réalisation en France. Toutes ces stations ont pour caractéristique principale d'être situées à une altitude élevée: aux alentours de 2.000 metres, ce qui donne plus de neige, plus de soleil et un accès direct au cœur des pistes. La plupart sont aussi réalisées avec l'aide de fonds d'Etat; on peut donc espérer qu'elles ne seront pas réservées à une minorité.

Mais à ces stations il manque encore un esprit. Il doit être jeune, joyeux et sportif. Et c'est vous seuls qui pouvez le créer.

JEAN CREISER

B. Les locations de Noël sont deux fois plus chères que celles des Rois[1]

Si vous avez l'intention de louer un chalet pour Noël autant vous prévenir que c'est trop tard: il fallait, affirment les agences, s'y prendre au début septembre. Toutes les stations françaises affichent complet.

Et pourtant, ce n'est pas donné. A titre d'information, le prix de location pour quinze jours d'un chalet de quatre à six personnes oscille, suivant la cote des stations, de 850 F à 1.700 F.

A Megève, cependant, on peut encore trouver quelques grands chalets pour famille nombreuse (dix personnes) qui se louent au mois (3.500 F pour décembre).

Reste la solution des appartements. Les agences, conscientes que leurs prix ne sont pas abordables pour tout le monde, vous persuadent, avec beaucoup de gentillesse, que l'on peut parfaitement loger quatre ou cinq personnes dans un petit studio. C'est une théorie à vérifier. N'est-on pas obligé, en décembre, à la montagne, de rentrer chez soi au maximum vers cinq heures? De ce seul fait, l'atmosphère de la pièce unique risque fort, en quinze jours de temps, de faire perdre aux parents comme aux enfants le bénéfice d'une détente à l'air pur des cimes.

Suivant les stations, le prix des studios varie de 400 à 900 F et celui des appartements de 800 à 2.000 F.

L'idéal, évidemment, pour passer des vacances économiques, c'est de partir en janvier. La différence de prix est extrêmement importante: c'est ainsi, par exemple, que le même appartement pour six personnes, à Val-d'Isère, coûte 1.850 F à Noël et seulement 1.000 F pour vingt-cinq jours en janvier.

Aucune difficulté, de plus, pour trouver des chalets à cette époque. On a le choix entre plusieurs résidences à partir de 500 F pour le mois.

En février, avec les jours plus longs et le soleil (en principe) plus chaud, les prix remontent. Même palier à peu de chose près en mars mais, en revanche, moins d'affluence.

Enfin, ne pas se faire d'illusions pour les vacances de Pâques: c'est le même tarif qu'à Noël.

HUGUETTE DEBAISIEUX

1 le jour des Rois (6 janvier).

8

6 « COPOCLEPHILISTES »

« Si on vous donne un porte-clés, pensez à moi », m'a dit le garçon d'ascenseur. Et le concierge. Et le postier. Qui eût pu croire que la France aurait soudain tant de clés à suspendre? L'innocente manie se répand de jour en jour. L'inévitable breloque s'échappe des boîtes de cirage en tube, accompagne le vin et la bière, pend à la une des journaux, s'insinue dans les petites annonces. Il en existe avec boîte à musique ou en forme de dentier à ressorts phosphorescent.

Une demi-douzaine d'usines s'essoufflent à combler l'insatiable demande. La folie des porte-clés galvanise le commerce et enrichit le vocabulaire. Ces nouveaux collectionneurs – on en dénombrerait plus d'un million déjà – ont inscrit sur leur bannière un nom, déposé au *Journal officiel*: ils sont copocléphilistes, en toute simplicité.

Existe-t-il une clé du copocléphilisme? Démarche de compensation, à première vue, pour des Français qui souffrent de ne point encore posséder d'automobile. Ils en détiennent désormais, et en multiples exemplaires, le fétiche essentiel, celui que l'automobiliste emporte en quittant son engin et qui, dans l'ombre d'une poche, demeure le sûr témoin de sa motorisation. Les propriétaires de « 4 chevaux », accrochant la clé de leur voiturette à un écusson marqué « Rolls-Royce », avaient ouvert la voie. Il ne restait qu'un pas à franchir pour que le porte-clés, libéré de l'encombrante machine, joue enfin son rôle de substitut consolateur.

Avez-vous d'ailleurs remarqué que la publicité des automobiles a renoncé à vanter la qualité des mécaniques, la robustesse des châssis, l'efficacité des reprises, pour promettre au propriétaire futur la joie de vivre, l'assurance tranquille, un brevet de bon goût dont le véhicule n'est plus que le signe presque superflu. Pourquoi dès lors ne pas se contenter du signe du signe?

Mais voilà que notre interprétation trébuche. Il existe, et en nombre, des collectionneurs de porte-clés motorisés. Force nous est de descendre plus avant dans l'inconscient copocléphiliste.

A l'opposé de l'ouvrier, qui tire son sentiment de puissance de la masse des camarades, le petit-bourgeois souffre anxieusement d'être noyé dans la foule anonyme. Fougeyrollas a montré combien nombreuses sont, dans la classe moyenne, les familles organisées autour d'une marotte, spiritisme, végétarianisme, etc., qui confère au couple le sentiment d'être à part, donc unique.

Mais la véritable originalité exige du courage, car elle suscite l'hostilité. Entre le désir de se distinguer et la peur de se faire remarquer, que choisir? Un compromis: la collection de porte-clés, qui, à la fois individuelle et collective, permet d'être différent tout en faisant comme tout le monde.

Mais pourquoi des porte-clés, et pas des porte-parapluies ou des porte-couteau? Quelle magie dissimule cet humble bibelot pour provoquer l'éruption de si souterraines angoisses? Soupesons-le, retournons-le, que nous dit-il? Rien, si on le sépare de la clé dont ils est, plus que le gardien ou l'appendice, l'antithèse. Quoi de plus froid, de plus logique, de plus anonyme que ce plat outil métallique qui ouvre et clôt tous les verrous de l'univers. Des ferronneries figuratives d'autrefois aux produits standardisés signés Yale ou Ronis, la clé s'est élevée au sommet de l'abstraction. Le porte-clés a suivi le chemin inverse, de la cordelière de la sœur tourière au dentier à ressorts phosphorescent. Fantaisiste, baroque, inattendu, coloré, ce gri-gri avoue sa fonction par sa gratuité même: il crie la révolte des individus contre le fonctionnel. Révolte qui s'avoue d'avance vaincue. Nul n'ignore que le pouvoir est dans la clé. Les porte-clés n'ouvrent aucune porte, sinon en rêve.

N'est-il pas justement curieux que les collectionneurs à moyens réduits, accumulant des objets sans valeur intrinsèque, préfèrent systématiquement les boîtes aux allumettes, les bagues aux cigares qu'elles enserraient, les porte-clés aux clés. L'allumette, le cigare, la clé seraient-ils, au royaume des désirs, signes trop parlants pour être honnêtes? Ces déplacements du contenu au contenant nous guident vers une symbolique plus profonde. Tout le monde ne peut pas, comme James Bond, collectionner les brunes et les blondes. Chacun peut additionner des porte-clés.

JACQUES GARAI

2 Aviation

7 LE « BANG »
A. Séjour au paradis

Cet été, j'ai passé un mois à Villeneuve-sur-Lot, dans notre petite maison de jardinier. Je m'apprêtais à déguster le calme. Je mesurais de l'œil les cultures d'alentour: haricots et tomates me promettaient la quiétude. Je savourais l'épaisseur de la treille qui semblait enfouir la maison dans un berceau de silence. Tout annonçait un séjour au paradis.

Nous étions là depuis dix minutes. Nous avions à peine ouvert nos valises. Soudain éclate un bruit qui m'ébranle le cœur. Une détonation haute, flexible, lointaine, à des distances difficiles à préciser, qui secoue un fragment d'espace dans le ciel, avec une rage élastique. Une explosion féline, dominatrice, annonçant des dangers inévitables sur le toit du monde.

Un accident? Une explosion à l'usine à gaz? Le bruit vient d'infiniment plus haut. Il est très différent aussi des détonations de canons que j'entendais, dans mon enfance, pendant les manœuvres au camp de Jer, dans les Pyrénées. Cette explosion-ci est sournoise. Elle a la souplesse d'une matraque en caoutchouc. Elle vient de très haut, avec des façons d'appel du destin, de proclamation sans réplique.

– C'est les avions, me disent ma mère (soixante-dix-sept ans) et ma belle-mère (quatre-vingt-huit ans).

Plusieurs fois, dans l'après-midi, ce bruit recommence. Les vitres tremblent. De la poussière tombe du plafond.

– C'est le bang! disent les deux dames, avec leur délicieux accent du Midi.

J'apprends qu'il s'agit d'avions à réaction qui effectuent des manœuvres en passant le mur du son. « Souvent? – Eh! oui! – La nuit? – Jamais! – Tous les jours? – Un petit peu. »

Tellement « un petit peu » que c'est un enfer. Tous les jours j'attends le « bang ». Je retiens mon souffle. Je prépare mon cœur. Si le « bang » éclatait maintenant, il ne me gênerait presque pas. Je l'accueillerais entre mes épaules rapprochées. J'atténuerais son coup, comme on se roule en boule, pour sauter d'un train. Mais il n'éclate jamais quand je l'attends. J'écris, je poursuis une pensée. Ou je plaisante avec des amis. Soudain, le « bang » éclate. Il fouille ma poitrine. Il va chercher mon cœur. Il le secoue, comme là-haut il secoue les couches suprêmes de l'air. Je regarde avec appréhension les deux charmantes dames. Comment se comporte leur cœur?

Les langues se délient. On me raconte les carreaux cassés, les toitures fendues, les murs lézardés, les poules qui ne couvent plus, les plaintes perpétuelles auprès des autorités militaires. Et le cœur, le cœur? Là, on ne sait pas. Evidemment, ça ne doit pas faire du bien. Mais, quand on est malade, il est difficile de savoir si c'est ça ou autre chose. Pourtant, le bon sens me dit, à moi, que ce qui casse les carreaux ne doit pas arranger le cœur.

C'est ce que doit penser aussi M. Emile Vercereau, le cardiaque de Montargis. Il a eu plusieurs crises à la suite d'un double « bang » d'avion supersonique. Il a assigné l'Etat devant le tribunal administratif. Il a gagné son procès. Ces jours-ci, après un nouveau « bang », il vient d'avoir une sixième crise. Le médecin, appelé d'urgence, a mis longtemps à le ranimer.

Le ministre des Armées a fini par s'alarmer. Pour les vols supersoniques au-dessus du territoire, l'altitude minimum autorisée sera portée de 8.000 à 10.000 mètres. Ces deux mille mètres de plus peuvent, me semble-t-il, atténuer le « bang ». Quant à la seconde mesure, Monsieur le ministre... *Il est interdit au Mirage IV et aux appareils de la marine d'effectuer des vols supersoniques après 22 heures et avant 7 heures...* La nuit, jamais de « bangs », m'avaient déjà dit les dames, avant votre intervention.

Puisque vos pilotes, du moins dans la région de Villeneuve-sur-Lot, dormaient déjà la nuit, qu'y aura-t-il de change?

Pour atténuer notre supplice, nous ne pouvons donc compter que sur ces 2.000 mètres ajoutés au plafond du « bang ». Suffiront-ils?

PAUL GUTH

B. Trois morts dans une ferme après le passage d'un avion supersonique

Vannes, 1er août. – Le « bang », cette onde de choc dont les dégâts ne se comptent plus, a fait trois morts, cet après-midi, dans une ferme de Mauron.

Au passage d'un avion supersonique, le plancher d'un grenier s'est effondré et huit tonnes d'orge ont été précipitées dans la cuisine où M. et Mme Yves Cabioch, les fermiers, déjeunaient avec leurs ouvriers agricoles.

Trois de ceux-ci ont été tués: MM. Jacques Favre, 18 ans; Georges Moreau, 35 ans, et Pierre Lefèvre, 17 ans. Grièvement blessée à la tête, Mme Cabioch a été transportée à l'hôpital de Ploërmel.

8 « CONCORDE » PRESENTE OFFICIELLEMENT A TOULOUSE

Le 11 décembre, à Toulouse, devant un aréopage composé de ministres français et britanniques, de techniciens, de représentants des compagnies aériennes et de journalistes du monde entier, le prototype « 001 » de *Concorde* sera tiré hors du hangar où il a été assemblé pour effectuer sa première sortie en public. Sa silhouette sera familière à tous ceux qui ont pu admirer au Salon du Bourget la maquette grandeur réelle de l'avion supersonique. Un grand oiseau blanc effilé, haut sur ses roues, l'aile en flèche dite « évolutive » abritant les quatre réacteurs.

Ce jour-là, une longue étape, parfois semée d'embûches, aura été franchie, dont le résultat sera à verser au crédit des industries aéronautiques française et britannique.

Concorde, c'est une longue aventure commencée il y a plus de dix ans puisque les premières études ont été lancées dès 1956 en France et en Grande-Bretagne. Quelques tâtonnements, plusieurs propositions, beaucoup de modifications aboutissaient aux mêmes conclusions des deux côtés de la Manche, à savoir une « forme » en delta effilée et une vitesse de croisière de Mach 2,2. Seules différaient les dimensions de l'appareil, plus importantes pour le projet britannique, la préférence des Français allant vers un moyen-courrier de 77 tonnes. De là à s'unir et à rapprocher les deux conceptions, il n'y avait qu'un pas à franchir, que facilitait l'étroitesse du « Channel ».

Le 29 novembre 1962 est la date officielle de la naissance de *Concorde*. Ce jour-là, les gouvernements français et britannique signaient un accord portant sur l'étude, la réalisation et la production en commun d'un avion de transport supersonique. Sud-Aviation et la British Aircraft Corporation étaient chargées conjointement de l'étude, de la réalisation et de la fabrication de l'appareil. La Bristol Siddeley Engines et la SNECMA[1] étaient, pour leur part, chargées de l'étude, de la réalisation et de la production des réacteurs *Olympus 593*. Il s'agissait d'un véritable accord de coopération, les deux pays devant apporter sur tous les aspects du programme une contribution égale aux dépenses à engager comme au travail à exécuter et partager à égalité le produit des ventes.

Le but recherché – il était ambitieux – était de fondre en une seule équipe industrielle les experts de l'aéronautique français et britanniques et ce malgré des langues, des traditions et des formations très différentes.

Il a été largement atteint.

Il ne restait plus qu'à se mettre au travail à Filton comme à Toulouse si l'on voulait respecter les délais fixés, car, à l'Est comme à l'Ouest, le projet franco-britannique avait éveillé l'esprit de concurrence. Les Soviétiques mettaient en chantier un appareil similaire au nôtre. Les Etats-Unis, pour leur part, étudiaient des projets beaucoup plus ambitieux, à la mesure de l'immense potentiel dont ils disposent et qui eussent pu réduire considérablement le

1 Société Nationale d'Etude et de Construction de Moteurs d'Aviation.

succès de l'avion conçu des deux côtés de la Manche. Si la réussite du *TU 144* de l'ingénieur Tupolev ne risquait pas de gêner *Concorde* en raison de ses possibilités limitées sur le marché mondial, tout était à craindre du *Boeing 2707*, définitivement choisi outre-Atlantique.

L'avion franco-britannique possédait trois ans d'avance qu'il lui fallait garder à tout prix. Il semble à présent que ces années de répit lui soient définitivement acquises. En effet, le projet américain est pour l'instant victime de son ambition, et *Boeing*, malgré sa puissance et son indéniable compétence, semble rencontrer de grandes difficultés.

Concorde sera donc le premier avion de transport supersonique à assurer la liaison-pilote qu'est Paris-New York. Beaucoup d'efforts auront été dépensés, beaucoup d'argent également. Mais il est bon de rappeler à ceux qui estiment que *Concorde* n'est en définitive qu'une onéreuse affaire de prestige, que tout d'abord, le seuil de 150 appareils tout au moins a de fortes chances d'être atteint; qu'ensuite la réalisation de cet avion supersonique (sans préjuger de la « série » qui suivra) a déjà fourni pendant cinq ans du travail aux bureaux d'études et aux usines françaises et britanniques qui en avaient bien besoin; qu'enfin l'étude et la réalisation de cet avion révolutionnaire a permis aux industries de nos deux pays de réaliser de grands progrès dans le domaine de la technologie. *Concorde* a apporté à de nombreux fournisseurs de matériaux et d'appareillages électriques, électroniques, hydrauliques, etc., la possibilité de perfectionner leurs méthodes et leurs produits. Les progrès accomplis ne manqueront pas, dans les domaines d'activité industrielle les plus divers, d'avoir des répercussions favorables et de trouver de nouvelles applications.

La première sortie officielle du 11 décembre sera brève. Le soir même, les techniciens vont jalousement récupérer leur bien et le soumettre à une série de tests avant le premier vol qui est prévu vers la fin du premier trimestre 1968. Ce sera ensuite le tour du « *002* », frère jumeau en voie d'achèvement à Filton. Mais là ne s'arrêtent pas les problèmes de *Concorde*. Il faudra que très bientôt les gouvernements français et britannique décident de lancer la série et prévoient une cadence de production convenable pour satisfaire les acquéreurs. De cela dépend le succès de l'entreprise.

JEAN-PIERRE MITHOIS

9 LE MERVEILLEUX ET L'ABSURDE

Dans quelques années des avions d'un modèle nouveau, volant à très grande hauteur, iront en trois heures de Paris à New York, semant les « bang » derrière eux. Chacun coûtera un nombre respectable de milliards d'anciens francs. D'autres milliards auront été dépensés en recherches et en expériences. Il en faut même tant et tant que l'Angleterre, qui est partie dans cette entreprise, rechigne parfois et parle d'abandonner. Ses hésitations ont été sévèrement jugées chez nous, parce que les prouesses aéronautiques ne sont plus permises, à titre personnel, qu'à deux ou trois puissances dans le monde. Les autres doivent s'associer. Chacun sait, par exemple, que si la cellule de la *Caravelle* est française, le moteur est anglais et l'appareillage électronique américain.

Pour n'être pas goûtée de tous, la circonspection britannique n'en soulève pas moins une question essentielle: à quel degré exact le progrès matériel cesse-t-il d'être bénéfique et bénéficiaire pour devenir un luxe coûteux? La détermination de cette frontière, de cette zone de rebroussement, est un problème commun à toutes les activités.

On recommande et on encourage la fusion des entreprises, dans l'espoir qu'elles pourront figurer en bon rang au palmarès des géants universels. J'espère qu'on a établi à quel niveau la concentration cesse d'être une bonne affaire pour engendrer plus d'inconvénients que d'avantages. N'est-il pas à craindre que la société, devenue trop pesante, trop ramifiée, avec trop de conseils, trop de bureaux, trop de filiales, trop d'allées et venues, trop de transmissions, trop de coordinations, trop de paperasses, ne tourne à l'administration, tandis que s'émousse l'autorité et que se perdent les initiatives?

Il en va de même pour l'Etat. A partir de quel degré d'obésité, d'énormité, d'autoritarisme cesse-t-il de remplir son rôle d'instrument de la sécurité et de la prospérité nationales pour devenir une fin en soi? A partir de quel pullulement administratif perd-il le contrôle de ses propres agents? A partir de quelle prolifération bureaucratique cesse-t-il d'être le bouclier du producteur pour devenir un obstacle à la production? Il y a en tout un point de perfection: le dépasser c'est tomber du mieux dans l'excès, du bon dans le pire. En voici un tout petit exemple. Lors du vote de la Constitution allemande, le pays de Bade et le Wurtemberg, historiquement différents, formaient deux régions distinctes, deux Länder. Les théoriciens expliquèrent que ces deux Länder étaient trop petits, qu'il serait infiniment avantageux de les réunir en un seul, qu'il en résulterait des économies de personnel, partant plus d'efficacité et de célérité. La réunion se fit. On s'aperçut à l'usage qu'elle n'avait eu qu'un seul résultat, l'augmentation du nombre des fonctionnaires.

On pourrait poser les mêmes questions à propos de la concentration urbaine, de la concentration agricole, de l'accroissement de la population estudiantine... Les choses ne sont ni simples ni régulières. Les raisonnements en « de plus en plus » sont trompeurs parce que les phénomènes humains ne se représentent pas géométriquement par une droite en ascension continuelle. Ils comportent des points où l'évolution change de sens, où la courbe ascendante s'arrête, s'incurve et redescend.

Je n'ai point d'avis quant à l'opportunité de l'avion *Concorde*. Trop de facteurs interviennent, que je connais mal. Il me vient néanmoins à l'esprit un projet moins onéreux. Puisque le temps n'est plus éloigné où l'on mettra moins de temps pour traverser l'Atlantique que pour aller des Invalides à Orly et inversement, peut-être pourrait-on essayer de gagner aussi trois petits quarts d'heure au départ et à l'arrivée. Il est amer et comique d'être convoqué à Orly une heure avant le décollage, d'y perdre au retour une autre heure à attendre sa valise, à héler un taxi et à prendre sa place dans les embouteillages de route et de rue... On me dit que ce problème est insoluble.

Nous vivons de merveilleux et d'absurdité.

PIERRE GAXOTTE

10 PRIORITE AUX AVIONS OU AUX PIGEONS?

En août dernier une estivante parisienne passionnée d'aviation, Mme Herel, qui avait décollé de l'aérodrome d'Escoublac pour une promenade au-dessus de la région n'échappa à un très grave accident que grâce à son sang-froid et à son habileté de pilote.

En effet le vitrage de l'habitacle de son avion avait volé en éclats alors qu'elle se disposait à atterrir. Malgré la brusque arrivée d'air elle parvint cependant à redresser son appareil. Cependant les dégâts atteignaient environ 500 F.

Le coupable? Un pigeon voyageur qui ne survécut pas à cette rencontre mais dont la bague révéla qu'il appartenait à un habitant d'Auray (dans le Morbihan).

La facture fut envoyée à celui-ci mais la compagnie d'assurance du colombophile rétorqua que les oiseaux avaient aussi bien le droit d'utiliser l'espace aérien que les humains et que la responsabilité du volatile dont il s'agit n'était nullement engagée d'autant plus que dans la circonstance rien ne prouvait que la faute n'était pas aussi bien imputable à l'avion.

Les responsables de l'aérodrome de La Baule disent de leur côté que le pigeon était dans son tort car « il circulait en zone d'aérodrome ». Mais les usagers de l'aviation se soucient-ils, eux, des droits à voler que pourraient revendiquer les oiseaux, respectueux d'un « code » naturel ignoré des humains?

11 LES CONTROLEURS DE L'AVIATION

Comment faire atterrir ou décoller 460 avions, sans aucun retard, comme ce fut le cas hier à l'aéroport de Paris?

Supposons que votre avion parti de Londres se dirige vers Paris. Il sera d'abord pris en charge par le contrôle régional qui couvre la partie nord de la France. Puis, lorsque vous arriverez à une cinquantaine de kilomètres de la capitale vous deviendrez un petit point blanc sur l'écran de télévision du contrôleur d'approche qui vous prendra sous sa coupe. Quand l'appareil sera dans l'axe de la piste il vous confiera au contrôleur local. Celui-ci siège au sommet de la tour de contrôle, dans le « pot à yaourt » en verre que tout le monde peut admirer. Il vous fera atterrir.

Homme-clé de ce pilotage depuis la terre, le contrôleur d'approche, accomplit un véritable travail de jongleur. Jouant avec les vitesses, les altitudes et les directions, il guide simultanément une dizaine d'appareils à travers les sentiers de forêt vierge que constituent les couloirs aériens aux abords d'une grande capitale. Mais pour les profanes, l'opération est encore beaucoup plus complexe qu'il n'y paraît. Les contrôleurs, ces super-agents de la circulation parlent un langage apparemment barbare. Il n'est question que de milles, de niveaux, de pieds, de strips!

– *Air France Roméo Zoulou, de Bray-sur-Corbeil, en descente vers le niveau soixante-dix.*

– *Fox-trot, Romé Zoulou, mettez le cap direct sur O.Y.E. rappelez à soixante-dix.*

Un mot revient aussi souvent dans les conversations: interférence.

– *Il ne faut pas qu'il y ait d'interférence.*

Comprenez: il faut laisser suffisamment de distance entre les appareils pour ne pas qu'ils se rencontrent, auquel cas « l'interférence » deviendrait plus prosaïquement une collision.

EDOUARD THÉVENON

3 Paris

12 UNE VISITE DES EGOUTS DE PARIS – DEPART PLACE DE LA CONCORDE

– Ils nous cassent les pieds; nous travaillons, nous..., dit le premier.

– Et tout cela pour voir quoi! s'exclame un second. Moi, je m'en passerais bien.

Autour d'une baraque en planches, des hommes en vareuse bleue, qui portent de longues bottes à cuissards échangent ces propos désabusés.

Ils: sous cet anonyme prénom masculin pluriel, la spéléologie cache ses plus étranges amateurs. Chaque jeudi après-midi, du 1er mai au 15 octobre, lorsque le temps le permet, quatre-vingts explorateurs disparaissent – toutes les heures – aux yeux de collègues qui, déjà, attendent impatiemment l'occasion d'en faire autant. A 18 heures, le terre-plein de la statue de Lille est désert: les absents no'nt pas reparu. Personne ne semble s'inquiéter de l'issue de leur aventure. Témoin, ce vendeur de journaux qui quitte d'un pas tranquille, sa besace vide à la main, le lieu de ces étranges disparitions.

J'ai voulu éclaircir ces nouveaux « Mystères de Paris ».

Au guichet, je paye trente centimes (contre quinze à mes amis militaires). Les égoutiers nous attendent d'un air résigné. Je suis parmi les vingt premiers élus qui ont le privilège de faire du « Paris by Night » en plein jour. Adieu le ciel bleu, adieu les oiseaux. Nous nous engouffrons dans le puits de descente: à nous deux, Paris-sous-Paris! Nous descendons une volée de larges marches: les murs sont soigneusement chaulés et une rampe en fer nous interdit la chute accidentelle qui endeuillerait prématurément notre expédition.

Encore quelques marches, et nous voici dans la place.

– Mesdames, mesdemoiselles, messieurs, vous êtes à l'intérieur du grand collecteur d'Asnières, nous prévient emphatiquement un égoutier, promu guide du jeudi.

On nous prie de monter en barque. Entre deux trottoirs de ciment, coule une rivière lisse, noire. Notre voyage au centre de la terre commence: vive Jules Verne et Jean Valjean! Déjà les narines de quelques élégantes frémissent, en quête de pestilences. Très vite, c'est la déception: notre égout sent tout juste mauvais – moins mauvais en tout cas que les canaux de Venise. En vérité, cet égout est... trop propre.

Bien sûr, le long de la voûte, courent des lianes de fils électriques, de grosses tubulures, de mystérieux conduits; bien sûr, les lanternes vissées à la paroi diffusent une lumière blafarde; bien sûr, notre barque est halée, dans un grand bruit de chaînes, par deux égoutiers qui progressent avec peine, assurant à chaque pas leurs semelles cloutées sur des berges glissantes comme des peaux de banane. Bien sûr, notre guide, debout sur l'arrière de l'esquif, nous récite un texte inquiétant où radiers, cunettes, orages et millions de mètres cubes d'eau se mêlent pour mieux faire frémir. (Il parle même bizarrement d'une « eau valable pour les choux et les poireaux, mais non pour les radis ou salades »...) Mais en dépit de ces louables efforts, notre équipée manque de sel.

Notre guide émaille toutefois sa conversation de gestes impérieux: « Voyez, en passant, dit-il, la rue Saint-Honoré... » Docilement, les regards suivent son doigt tendu et contemplent la petite plaque blanche et bleue qui rappelle que des promeneurs marchent sur notre tête.

— Et les rats? interrompt soudain un francophone.

— Les rats, mesdames, mesdemoiselles, messieurs, n'aiment pas se mouiller les pieds. Ils courent, de préférence, sur les tuyauteries.

Tout un chacun lève la tête; c'est alors le moment que choisit une Allemande pour pousser un cri. A bord de la barque, la fièvre s'empare des passagers: il y a du rat dans l'air! Après enquête, on doit en rabattre: la malheureuse n'a été victime en vérité que d'une goutte d'eau froide qui lui est tombée sur le nez.

Le guide a beau nous parler ensuite des dangers de son métier – de cette maladie mortelle notamment, la spirochétose (née des déjections du rat) – personne ne l'écoute plus. Le grondement des eaux s'amplifie. La visite est terminée.

— Mesdames, messieurs, nous ne pouvons aller plus loin. Au-delà, c'est le danger.

J.-P. GIBIAT

13 ON VIT PLUS VIEUX A PARIS

A l'encontre de ce que pense la majorité des Français, on vit plus vieux à Paris que dans le reste de la France. La durée moyenne de la vie d'un Français atteint 68 ans alors que celle d'un Parisien dépasse 69 ans. A Paris comme ailleurs, les femmes vivent plus longtemps que les hommes... Telle est l'une des multiples constatations inattendues que nous amène à faire « l'Annuaire statistique abrégé de la région parisienne ».

Savez-vous, par exemple, que le taux de mortalité est plus bas dans la Seine que dans le reste de la France (1 % contre 1,3 %)? D'ici à 1978, la population de l'agglomération parisienne passera de 8.700.000 habitants à 10.500.000 Un nombre de plus en plus grand de Français émigrent vers la capitale. Les Parisiens représentent aujourd'hui 18,2 % de l'ensemble de la population contre 7,5 % il y a cent ans.

Bien que le nombre de magasins et de bureaux parmi lesquels vivent les Parisiens paraisse considérable, 5 % seulement des immeubles de la région sont consacrés à un usage commercial, industriel ou administratif. Les immeubles collectifs ou maisons individuelles représentent 92 % de l'ensemble et il reste encore 3 % d'habitations de fortune.

Les transports en commun offrent aux Parisiens 336 stations de métro, réparties sur 189 kilomètres de voies doubles, 181 lignes d'autobus desservant 1.638 km. Pourtant, malgré la rapidité de ce mode de transport, le nombre de personnes transportées chaque année a diminué depuis 1949. Cette régression peut s'expliquer par le fait que le nombre de voitures immatriculées dans la région parisienne a presque triplé ces dix dernières années et que, d'autre part, le Parisien se sert de plus en plus de sa voiture pour se rendre à ses occupations quotidiennes.

Près d'un médecin sur trois réside dans la région parisienne qui compte 866 hôpitaux ou cliniques. Bien que le nombre des étudiants en médecine ait augmenté depuis 1950, leur pourcentage par rapport à l'ensemble de l'Université est en diminution.

Il y a, à Paris, quatre mille élèves dans les classes de mathématiques élémentaires et huit mille quatre cents dans les classes de préparation aux grandes écoles.[1]

Enfin, vous n'ignorerez plus rien sur votre capitale quand vous saurez que parmi les touristes qui visitent Paris, les plus nombreux ne sont pas les Anglais, mais les Américains et que le monument le plus visité est... l'aéroport d'Orly.

ANDRÉ GILLET

14 IL EST ENCORE TEMPS

Sans doute, nous aurions dû nous émouvoir plus tôt. Mais si des bruits couraient au sujet de la disparition de l'Ambigu,[2] comme il en avait couru d'autres, touchant d'autres théâtres, rien, jusqu'à ces dernières semaines, ne nous avait donné à penser que l'échéance fût inévitable et qu'elle fût si proche. L'opération projetée avait été protégée par un nuage de silence. Il est tard, bien tard. Mais qu'on ne nous dise pas qu'il n'est plus temps. Il est encore temps.

La menace qui pèse sur l'Ambigu a touché le coeur de Paris. De toutes parts nous parviennent des messages, les uns signés de noms qui se sont illustrés dans la littérature et dans l'art dramatique, les autres, par centaines, écrits par des inconnus qui n'ont d'autre titre à donner leur avis que leur amour de leur cité, de son histoire et de ses pierres, et ils ne sont pas pour nous moins précieux.

1 les Grandes Ecoles – Ecole Polytechnique, Ecole Nationale d'Administration, Ecole Normale Supérieure, etc.
2 l'Ambigu – vieux théâtre parisien, situé Boulevard Saint-Martin.

Trois raisons impérieuses nous engagent à obtenir des pouvoirs publics, à tout le moins, le sursis qui s'impose.

La première, c'est la valeur architecturale d'un édifice élégant et simple dans son apparence extérieure, parfaitement accordé à un vieux quartier parisien, exquis par son ordonnance intérieure et par les delicates moulures de ses balcons, habité par les grandes ombres de Frédéric Lemaître[1] et de Marie Dorval.[2]

La seconde, c'est le préjudice subi par tous les professionnels de l'art dramatique, dont la vie est de plus en plus incertaine et difficile du fait de la disparition d'un instrument de travail qui « créait de l'emploi » et d'un moyen d'expression parfaitement adapté à son objet.

La troisième, c'est le précédent redoutable que créerait, au moment où une bonne demi-douzaine de salles parisiennes, aux prises avec les difficultés que l'on sait, sont menacées en raison du prix vertigineux des terrains où elles sont établies, la destruction de la plus belle. Aucune ne peut avoir à son service, pour sa conservation, des arguments meilleurs.

Passons en revue maintenant ceux que l'on invoque contre elle.

Le premier est celui du coût prohibitif des réparations qui seraient indispensables. Mais, il y a une semaine encore, on jouait la comédie à l'Ambigu. La scène ne s'effondrait pas sous le poids des acteurs, ni les balcons sous celui des spectateurs. Il ne pleuvait pas dans la salle. Les circuits électriques étaient normalement protégés, le « jeu d'orgues » donnait satisfaction. A qui fera-t-on croire que dans ces conditions l'Ambigu était prêt à crouler sur nos têtes? Certes, on peut établir à propos de n'importe quel théâtre de Paris un rapport d'experts justifiant un million (nouveaux) de réparations « indispensables ». Mais dans presque tous les cas il est possible de s'en tenir à quelques mesures d'urgence, et c'est ce que l'on fait.

Le second est celui de la « rentabilité ». Il est vrai que l'exploitation était déficitaire. Mais il arrive à tous les théâtres de connaître des « séries noires ». Si un théâtre perd de l'argent en cas de succès, sa rentabilité peut être mise en cause. En cas d'insuccès, non. L'Ambigu met à la disposition des spectateurs neuf cents places. Tous les professionnels vous diront qu'un théâtre de neuf cents places est théoriquement « rentable ».

Certes, si l'on compare la « rentabilité » d'un théâtre à celle qui peut être obtenue du terrain qu'il occupe par des activités plus commerciales, elle peut apparaître faible. Dans ce cas, détruisons les églises, les bibliothèques, les universités, les stades qui occupent sans profit matériel de précieux terrains dans nos villes. Ce n'est pas en termes de rentabilité commerciale, mais en termes de rentabilité nationale que doit être évalué un instrument de culture.

Reste enfin l'argument du fait accompli. Mais le fait n'est pas

1 Frédéric Lemaître – acteur français (1800–1876).
2 Marie Dorval – actrice française (1798–1849) (Voir l'extrait suivant).

accompli. L'Ambigu est debout. Une décision a été prise. Faut-il la maintenir, alors que les inconvénients en apparaissent? Au reste, on nous dit que la seule autorisation donnée a été celle de la désaffectation. Qu'on empêche la démolition, en classant d'urgence l'Ambigu monument historique, comme il le mérite. Ses acquéreurs ont des intérêts que nous ne désirons pas léser. Mais si on leur propose de leur racheter l'Ambigu avec les fonds réunis par une souscription nationale, pourront-ils résister à la pression de l'opinion publique? Il y a d'autres terrains à acheter au centre de Paris.

Oui, il est encore temps. Il est encore temps que le boulevard Saint-Martin ne mérite pas de nouveau, par la disparition de l'Ambigu, le nom que la gloire de l'Ambigu lui avait valu: le nom de boulevard du crime.

THIERRY MAULNIER

15 VICTOIRE EN VUE POUR L'AMBIGU

Disons toute notre gratitude à M. André Malraux.[1] Sa décision du 28 décembre, en interdisant la poursuite des travaux de démolition, sauve au moins provisoirement les façades de l'édifice et permettra ainsi, on l'espère, de préserver du vandalisme un quartier charmant de Paris.

Il n'était que temps; après la dévastation de la salle, l'attaque des murs allait commencer.

L'opinion s'était émue. Par la voix des auteurs dramatiques, des comédiens, des écrivains les plus renommés et de leurs organisations professionnelles, par la voix d'architectes compétents, par la voix de ceux qui se sont voués à la défense du patrimoine historique et artistique de la nation, les raisons de sauver l'Ambigu avaient été proclamées. Le ministre des Affaires culturelles, qui est aussi, chacun le sait, un des écrivains français les plus considérables de ce siècle et l'auteur d'une véritable « philosophie de l'art » de portée universelle, avait jugé cette campagne « digne de considération ». Le vœu des pouvoirs publics était qu'avant que la démolition fût entreprise, si elle pouvait l'être dans les formes légales, un sursis fût donné, afin de permettre aux défenseurs du vieux théâtre de susciter une offre susceptible de désintéresser, sans aucun préjudice pour eux, les « promoteurs » de l'opération immobilière et d'accorder à l'Ambigu sa dernière chance.

Cette offre est venue. Elle est plus que sérieuse, venant d'une société puissante, avec la caution de capitaux plus que suffisants. Des négociations ont été engagées en décembre, à un moment où le théâtre n'avait pas encore subi de dommages sérieux. Il a été convenu qu'elles devaient être reprises au début de janvier, et rien n'a été dit de part et d'autre qui semble les condamner à l'échec.

1 Ministre des Affaires culturelles.

On était donc en droit de penser que les travaux de démolition seraient suspendus jusqu'à l'issue de ces conversations. Or ils ont été poursuivis. Ils l'ont été par l'intérieur, discrètement, de façon presque clandestine. Parce que les destructeurs n'étaient pas fiers d'eux-mêmes? C'est peut-être leur faire trop d'honneur que de leur attribuer cette honte. Plus probablement, pour n'attirer pas l'attention. Il ne reste plus rien de la salle, de la décoration précieuse du plafond, des fines moulures, de la courbe des balcons qui était d'une élégance et d'une pureté de lignes sans rivales à Paris.

Le défi était lancé à tout ce qui dans ce pays a le droit de se faire porte-parole de la culture, et aux pouvoirs publics qui ont charge de défendre cette culture. Il a été relevé.

Les démolisseurs n'ont pas l'excuse des iconoclastes de toutes les fois religieuses ou politiques qui ont sans doute, au cours de l'histoire, détruit plus de chefs-d'œuvre que les guerres. Devant ce qui a été taillé, sculpté ou peint avec amour par la main de l'homme au service de l'esprit, ils pensent à une « opération financière ». A celui qui veut incendier la Bibliothèque nationale, Hugo fait dire: « Je ne sais pas lire. » Ceux-ci savent lire. Mais ils savent surtout compter.

Parmi les lettres que nos correspondants nous ont adressées pour protester contre la disparition de l'Ambigu, il y avait une pétition de modestes artisans et commerçants du quartier, recueillie par une marchande de journaux de la place de la République. Disons merci à cette humble Parisienne. C'est de son côté qu'est la culture.

THIERRY MAULNIER

16 LES TRAINS DE BANLIEUE

Si vous voulez enseigner à vos enfants à devenir malins, agiles, psychologues, rusés, forts, une seule école: le train de banlieue. Au cas où vous n'y seriez déjà, allez habiter à quelques dizaines de kilomètres de Paris, et, en même temps que des centaines de milliers de banlieusards, prenez le train. Prendre est le mot juste: chaque fois, j'ai l'impression de participer à la prise de la smalah d'Abd el-Kader.

Encore convient-il de n'être ni trop loin ni trop près de la capitale. Très loin, à la formation du train (vous voyez: on forme un train comme on forme des enfants), on a le choix de la place. Trop commode. Ce n'est pas de jeu. Très près, il n'y a plus de place, on est résigné à faire debout le trajet, heureusement court. Non, il est préférable d'être environ à équidistance des deux terminus, aux stations où, aux heures d'affluence, quelques banquettes sont *peut-être* encore disponibles, qu'il serait bon de s'approprier. D'où, pour s'asseoir, la nécessité de monter dans le train comme si on l'attaquait à main armée.

Il faut d'abord bien choisir son wagon. Très important le choix du wagon. Les wagons sont au train ce que les mois sont à l'année: ils se suivent mais ne se ressemblent pas. Entendez par là que les uns comme les autres sont inégalement remplis. Il est essentiel de savoir qu'à l'arrivée dans toutes les gares de Paris, les voyageurs des voitures de tête, les plus proches de la sortie, se présentent d'abord au contrôle et que les passagers des voitures de queue sont condamnés à quelques minutes d'attente. En conséquence, les gens pressés, qui sont très nombreux, se portent en tête du train. On a donc plus de chance de dénicher une « place assise » dans les derniers wagons.

Encore faut-il être de ceux qui grimpent les premiers pour se ruer à l'abordage des ultimes banquettes. On a compris qu'il est indispensable d'occuper le bord du quai, à l'endroit exact où l'une des portes s'ouvrira. Hélas! ça n'est pas simple. La recherche et la conquête de ces positions privilégiées exigent beaucoup de qualités, d'observation et de méthode notamment. Selon qu'ils sont trois, six, neuf ou douze wagons, les trains s'arrêtent à peu près toujours à la même place. Aussi l'on peut, grâce à des repères pris sur les rails, le ballast, la gare ou le paysage, attendre le train au lieu même où l'on est quasiment assuré de voir s'ouvrir, par exemple, la porte arrière de la onzième voiture. A ce petit jeu, les anciens scouts, rompus aux signes de piste, les arpenteurs et les braconniers sont évidemment favorisés. Ils partent gagnants chaque matin. Mais enfin, tout le monde a sa chance.

Vous voilà assis. Mais comment le rester? C'est qu'il y a debout toujours plus âgé que vous, ou plus fatigué, ou plus pâle. Ah! ces regards douloureux, implorants, qui donnent mauvaise conscience aux voyageurs nantis d'un morceau de banquette... Ah! cette *pression morale*, qui oblige les plus faibles ou les plus charitables à se lever... On évitera ces regards en s'asseyant au milieu du wagon, loin des plates-formes avant et arrière où, verticalement, la densité humaine est assez forte pour émouvoir une âme confortablement installée. Et, s'il est possible, on choisira une place à côté d'une fenêtre, car au bord du couloir on risque d'être assis sous le nez de quelque personne stationnant ostensiblement là, dans le couloir, pour justement vous subtiliser votre siège par la pression morale dont j'ai parlé. Heureux ceux qui ont eu la sagesse d'emporter un journal: ils ont le meilleur prétexte pour ne jamais lever les yeux et ne pas voir les souffrances muettes des alentours.

Finalement, quand, le matin, les trains de banlieue arrivent à Paris, les voyageurs se répartissent en deux groupes: les uns sont physiquement las d'avoir été debout; les autres, qui ont réussi à être assis et à le rester, sont intellectuellement épuisés.

BERNARD PIVOT

17 LA RESTAURATION EXTERIEURE DE NOTRE-DAME

Notre-Dame de Paris vient d'être inscrite sur la liste des monuments qui bénéficient de crédits particuliers affectés à leur restauration. Sa situation, son histoire, sa qualité de parisienne contribuent à en faire l'un des monuments historiques les plus visités. Si pressé qu'il soit, le touriste étranger considère qu'elle « mérite un détour ».

Les chantiers du parvis, les entassements d'autos ne rendent pas son abord agréable. Et ses revêtements de crasse, en larges taches, l'endeuillent d'un manteau noir et blanc qui surprend dans la ville remise à neuf.

Son architecture est l'objet de soins constants. Il y a toujours sur ce grand corps quelque blessure à traiter. Mais elle a grand besoin de faire toilette. Effacer tant de salissures séculaires – l'atmosphère de Paris est chargée d'impuretés – faire disparaître ces contrastes entre les pierres encrassées et celles de ce blanc blafard que produit la prolifération du lichen, c'est un travail minutieux et, par conséquent, de longue durée. Les sculptures, les structures déliées, les ornements précieux foisonnent. Chaque point nécessite un incessant contrôle. Les pierres sont de provenances et d'âges divers et ne sont pas jointoyées de la même façon.

M. Bernard Vitry, architecte en chef des monuments historiques, chargé de Notre-Dame, dirigera ces travaux. En maintes occasions, il a donné les preuves d'un savoir et d'un goût que, dans toutes ses entreprises de restauration, nous n'avons jamais trouvés en défaut. Le nettoiement de la façade de Reims, tâche difficile entre toutes, en est un remarquable exemple. Si la statuaire de Paris est pour sa plus grande part de la sculpture de remplacement qui date d'une centaine d'années, celle de Reims a plus de sept siècles d'âge, et la pierre est d'une qualité plus fragile. M. Bernard Vitry la compare à de la pâte feuilletée.

Pour un monument, le but à atteindre est le même que pour la restauration d'un tableau. Mêmes principes: le premier travail consiste à enlever les vernis ambrés appliqués au dernier siècle sur la toile pour « faire ancien » et de retrouver les touches de couleurs posées par le peintre. Il est admis aujourd'hui qu'un monument ancien ne doit être nettoyé que par une pulvérisation très fine d'eau pure – à l'exclusion de tout ingrédient chimique, même à faible dose. L'opération est achevée à la brosse en nylon.

Les parties inférieures des tours sont les plus sales de Notre-Dame, dont la façade paraît coupée en deux. La galerie des rois est si noire que l'on distingue à peine les personnages. C'est par là qu'il faut commencer. Il est certain qu'une fois lavée, la façade sera transfigurée. La nécessité s'en fait d'autant plus sentir que l'Hôtel-Dieu et la préfecture de Police – cette horrible architecture si malencontreusement édifiée en face de la cathédrale – ont été ravalés et sont maintenant d'une blancheur éclatante.

Tous les monuments parisiens ont été marqués par cette sombre chape qui en affligeait la base. Elle est due avant tout à l'échappement des autos. Ici, la voie de circulation, qui joint les deux rives de la Cité, se trouve à quatre mètres de la façade. C'est d'ailleurs un danger permanent pour les voitures. Les agents de police, appelés en renfort pour chaque cérémonie religieuse, ont mille difficultés pour assurer la sortie. D'autre part, cette proximité empêche de regarder les portails avec le recul nécessaire. C'est pourquoi, dans son projet d'aménagement du parvis, M. Marrast prévoyait un trottoir en arrondi devant la façade ainsi que des terre-pleins plantés qui l'eussent encadré de chaque côté. Ce serait peu de chose. Et cela suffirait pour ralentir et canaliser une circulation indigne d'un tel lieu.

BERNARD CHAMPIGNEULLE

18 LE PARISIEN DU MOIS D'AOUT

Ce n'est pas vrai. Les Parisiens du mois d'août ne sont ni dénigreurs, ni jaloux, ni méchants. Quand ils voient tomber la pluie, ils ne disent pas: « Les vacanciers seront saucés. Cela rafraîchira leurs idées. » Ou encore: « Les campeurs doivent bien s'amuser sous leurs tentes... C'est beau la vie en plein air, mais pourquoi ne pas rester chez soi? » Ou enfin: « Vous avez vu dans le journal ces terribles accidents d'auto? C'est naturel. Tous les fous sont lâchés en même temps sur les routes... » Non. Mille fois non. Les Parisiens du mois d'août ne disent pas ces choses-là; ils n'ont pas ces bassesses.

Ce sont des gens paisibles, sédentaires, pleins de sagesse, résignés à ne pas demander beaucoup à la vie. Ils retrouvent leur jeunesse en retrouvant leur ville d'autrefois, la ville sans bruit, sans embouteillages, sans odeur d'essence entêtante. A flâner sur les trottoirs, libres de voitures, ils éprouvent le vieil orgueil du piéton et gonflent le torse. Ils ont des témérités: ils traversent les rues désertes en dehors des passages cloutés. Ils vont au cinéma parce que personne ne fait queue à la caisse. Ils regardent avec pitié les touristes vomis par les autocars et se demandent pourquoi tant de gens s'habillent quasiment en Sioux pour visiter une capitale civilisée. Ils se lient facilement, comme des naufragés sur une île. Ceux qui possèdent une automobile la tirent du garage presque vide et roulent sur les boulevards ou aux Champs-Elysées, pour la seule fierté de la ranger ensuite devant leur porte, comme en 1935. Cette expédition leur fait faire un retour sur les temps révolus. Ils réfléchissent à l'évolution de la vie, aux servitudes du progrès et cette méditation les conduit à penser que l'existence sera de plus en plus bousculée, de moins en moins libre, qu'en somme ils disparaîtront à temps.

Ne dissimulons rien. Ils ont leurs soucis qui ne sont pas minces. Quels magasins restent ouverts dans le quartier? Est-ce que le boucher fermera tout le mois? Et le boulanger? Et l'épicier? Et le crémier? On se donne les adresses. On se communique les dernières nouvelles.

Le marchand de légumes est ouvert. Le personnel est absent, mais il suffit à servir la clientèle et la marchandise est aussi choisie qu'à l'ordinaire.

– Pourquoi les commerçants ne s'entendent-ils pas pour organiser un roulement? Tout le monde y gagnerait.

– On dit cela chaque année, mais c'est très difficile. Il faut bien que les membres d'une même famille puissent prendre leurs vacances en même temps, même s'ils travaillent dans des entreprises différentes. L'étalement des vacances, c'est très joli. Cela fournit des articles aux journaux, mais c'est impossible.

– Sans doute avez-vous raison, mais ceux qui sont partis en juillet ont eu plus de chance que ceux qui partent en août. Quant à nous, au lieu de trouver tous les commerces l'un près de l'autre, nous devons faire des kilomètres tous les jours pour aller d'une boutique à l'autre…

– Des kilomètres? Vous exagérez…

– Non, non… Hier, je voulais des cornichons…

Ainsi vont les langues. Ainsi passent les jours. Et puis à Paris il y a tant de choses à voir qu'on ne voit jamais, parce que tout est devenu trop compliqué et qu'il y a trop de monde partout. Août, c'est le mois des découvertes, le mois des audaces.

PIERRE GAXOTTE

19 PARIS SOUS LA NEIGE

Le moment de colère étant passé, les Parisiens demeurent stupéfaits. Comment est-il possible à notre époque, en 1966, que leur ville, « la capitale », soit à ce point perturbée par l'apparition soudaine de 20 centimètres de neige! Hier encore, plus de vingt-quatre heures après que la capitale eut revêtu son « épais » manteau blanc, la circulation des voitures comme celle des piétons était périlleuse dans les rues de Paris.

Et cependant, assure la préfecture de la Seine, tout s'est passé normalement. « *Aucune carence de nos services n'est à incriminer. Hélas! nous ne disposons pas des moyens suffisants pour faire face à une chute de neige aussi soudaine et aussi importante.* »

Paris n'est ni Moscou ni Montréal, sinon elle aurait sans aucun doute le matériel et le personnel qui lui permettraient de lutter efficacement et rapidement. Ici la situation est différente. Il n'est pas possible d'acquérir un matériel très coûteux qui ne fonctionnerait que tous les vingt ans.

Les statistiques, il est vrai, sont favorables à cette thèse. La dernière chute de neige de cette importance sur Paris date du 2 mars 1946, et le directeur de la météorologie nationale a déclaré hier que des circonstances atmosphériques semblables à celles qui ont entraîné l'apparition soudaine des flocons blancs ne s'étaient produites que quatre fois depuis 1870. Quel est ce dispositif anti-neige de la ville de Paris?

– Le matériel: 60 camions affectés spécialement à la projection sur la chaussée de fondants chimiques, 78 arroseuses d'eau salée, 12 postes de fabrication d'eau salée.

– Le personnel: 1.200 cantonniers, auxquels se joignent les 1.800 éboueurs lorsqu'ils ont terminé leurs tournées de ramassage des poubelles.

Comment fonctionne le dispositif? Lorsque les premiers flocons tombent du ciel de Paris, quelques « guetteurs » lancent l'alerte. Il faut alors réveiller à leur domicile un premier effectif de 300 cantonniers. Ceux-ci, bien sûr, ne possèdent pas le téléphone, habitent souvent en banlieue et doivent rejoindre parfois leurs lieux de travail à bicyclette. Même si l'alerte est donnée à temps, il est souvent trop tard pour agir efficacement. Hier soir, près de six tonnes de sel avaient été déversées sur 400 kilomètres de rues, alors que la capitale en compte 1.170. Mais dans de nombreuses voies, où la neige est déjà tassée ou même transformée en glace, il est nécessaire de passer deux ou trois fois.

Le problème essentiel qui se pose pour lutter efficacement est certainement celui du personnel. Sans doute pourrait-il être mieux équipé, mais l'essentiel de la tâche c'est une question de nombre d'ouvriers. Certes, la préfecture a, théoriquement, la possibilité de faire appel à des « saisonniers », mais ceux-ci se font de plus en plus rares. En 1946, lors de la dernière chute de neige abondante sur Paris, on en avait recruté environ deux mille. Cette année, « *une poignée de clochards* » prêts à se satisfaire du tarif qui leur est offert, 2 fr. 38 de l'heure...

Si, dans les jours qui viennent, de nouvelles chutes aggravaient la situation, M. Haas-Picard, préfet de la Seine, ferait aussitôt appel au plus grand nombre disponible des deux cents camions municipaux affectés habituellement à d'autres tâches.

Hier soir, M. Messmer, répondant à la demande de M. Haas-Picard, décidait de mettre à la disposition des services municipaux un millier de soldats pour déblayer la neige. Ceux-ci seront à pied d'œuvre ce matin.

Cette initiative heureuse devra être retenue pour être appliquée une prochaine fois dans un délai plus court. Il n'est pas admissible, en effet, que la vie de Paris soit à ce point désorganisée... pour vingt centimètres de neige.

CHRISTIAN LAMBERT

4 Vacances

YVES ALEXANDRE · PARIS

VOUS POUVEZ VOYAGER A MOITIE PRIX

Si vous faites plusieurs voyages, quelles que soient vos raisons de voyager, quelles que soient vos activités, que vos voyages soient longs ou courts, que vous voyagiez à longueur d'année ou pendant quelques mois, achetez une carte demi-tarif.

ACHETEZ UNE CARTE DEMI-TARIF SNCF

20 - 65   D'APRÈS SAVIGNAC

RENSEIGNEZ-VOUS DANS LES GARES

20 OUVERTURES ET FERMETURES POUR LES FETES DE FIN D'ANNEE

Les 25 décembre et 1er janvier seront chômés dans les entreprises travaillant habituellement le samedi. Cependant, un certain nombre de services publics resteront assurés. Voici comment se présente la situation pour les fêtes de fin d'année dans les différents secteurs d'activité.

S.N.C.F.[1]

Des trains supplémentaires circuleront pour Noël sur les grandes lignes. Sur les lignes de banlieue, service des dimanches et fêtes.

Métro-Bus

Service des dimanches et fêtes à la R.A.T.P.[2]

P.T.T.

Les 25 décembre et 1er janvier les guichets des bureaux de poste seront fermés. Cependant, dans les bureaux de Paris ouverts habituellement le dimanche (en général ouverture de 8 à 11 heures), ainsi que dans la plupart des bureaux de province (ouverture de 9 à 11 heures au moins), les services télégraphique et téléphonique seront assurés, ainsi que la remise du courrier parvenu antérieurement en poste restante ou aux boîtes postales et la vente des timbres-poste au détail. En outre, les bureaux fonctionnant habituellement le dimanche après-midi seront ouverts aux services télégraphique et téléphonique l'après-midi (de 14 à 16 heures au moins).

Il n'y aura pas de distribution de courrier à domicile.

Administrations

Les administrations fonctionnent le 24 décembre, mais seront fermées les 25 et 26 décembre, ainsi que le 1er et le 2 janvier.

Sécurité Sociale

Fermée normalement les samedis 25 décembre et 1er janvier; ouvertes les autres jours.

Banques

Les établissements bancaires seront fermés pour la fête de Noël, de vendredi midi à lundi matin.

Magasins

Les grands magasins sont ouverts tous les jours aux heures normales dans la période des fêtes, sauf les jours de Noël et du Jour de l'An et naturellement les deux dimanches suivants.

Les magasins de détail non alimentaires fermeront le dimanche et le lundi comme d'habitude.

Salons de Coiffure

De nombreux salons de coiffure seront ouverts les lundis après-midi à partir de 14 heures, mais fermés les samedis et dimanches.

Musées Nationaux

Tous fermés le 25 décembre et le 1er janvier sauf celui de Fontainebleau. Le Palais de la Découverte, le musée de l'Armée seront également fermés. L'église Saint-Louis des Invalides ouverte, messe de minuit la veille de Noël.

Etablissements Scolaires

Les vacances scolaires, commencées mercredi 22 décembre, se prolongeront jusqu'au 5 janvier 1966 au matin.

1 Société Nationale des Chemins de Fer Français.
2 Régie Autonome des Transports Parisiens.

La carte postale de Piem

Papa est parti voir la mer. il n'est pas encore rentré pour le dîner

SAHARA

21 COMMENT LES JEUNES VONT EN VACANCES

Comment les jeunes passent-ils leurs vacances? Quel type de loisirs choisissent-ils? Comment les financent-ils? Nous avons interrogé les jeunes: ceux qui travaillent et ceux qui étudient. Leurs réponses, on le verra, sont assez différentes.

Selon qu'ils sont ouvriers, employés, agriculteurs, étudiants ou lycéens, les jeunes adoptent des formules diverses, parfois opposées. Le milieu dans lequel ils travaillent marque la forme de leurs vacances. Ceux qui ont une activité professionnelle souhaitent détente et repos pour « récupérer » physiquement. Les employés veulent plage et soleil sans imagination ni souci d'organisation.

Les scolaires n'ont pas d'idée précise. La plupart ne désirent que le « farniente »... quand ils n'ont pas d'examens à préparer. D'autres, au contraire, et les étudiants, paraissent chercher autre chose: des loisirs certes, mais aussi un complément à leurs études ou ce qu'ils n'y trouvent pas: contacts humains, découverte sociale et culturelle, en groupe dans des centres organisés, ou individuellement.

Certes doit être considérée la différence de durée des vacances par catégorie de jeunes: un mois pour les travailleurs, plusieurs – donc beaucoup plus de possibilités – pour les autres.

Impression dominante, les jeunes veulent choisir eux-mêmes leurs vacances, les organiser à leur guise. C'est leur affaire. L'établissement d'un budget-loisirs est souvent l'un des premiers actes d'adultes qu'ils assument. Le congé annuel est, pour un nombre non négligeable, l'occasion de s'évader du milieu familial. Opinion exprimée par les lycéens et les étudiants pour qui passer les vacances en famille revient à faire des économies.

Le nombre des jeunes qui partent aux frais des parents à l'étranger pour un séjour linguistique ou dans un camp à caractère éducatif reste important. Mais de plus en plus, semble-t-il, le besoin de « gagner ses vacances » s'affirme. Toutes les formules sont utilisées: heures supplémentaires, économies sur le salaire, leçons, petits travaux, débrouillardise... Il apparaît qu'elles se réfèrent surtout au métier ou à la formation habituels. Selon le milieu, les régions, leur produit est plus ou moins important. A la limite, le jeune ne finance que son transport – car il veut aller toujours plus loin – et passe quelques semaines dans un chantier international, voire un kibboutz où son travail paie son séjour.

Mais il y a ceux qui ne partent pas. La famille n'en a pas l'habitude, le financement se révèle impossible malgré les conditions d'évasion désormais avantageuses (groupes, clubs) ou bien le travail saisonnier – pour les ruraux – les en empêche. Ils sont plus nombreux qu'on ne le croit. Le grand vent des vacances ne souffle pas pour tout le monde. Il convient de ne pas l'oublier.

CLAUDE GAMBIEZ

A. A nous la liberté!

Une voiture louée, réservoir plein. A bord, quatre jeunes ouvriers: Philippe, 19 ans, Raymond, 20 ans, Pierre et André, 22 ans. Tous de La Courneuve. Ils partent pour la Côte d'Azur où ils camperont pendant un mois. Ils ont chacun 1.000 (anciens) francs. Ils ont choisi pour les vacances la même solution que la plupart de leurs camarades d'usine.

Economie de moyen de transport, économie sur la distance. Peu de jeunes gens de la classe ouvrière franchissent les frontières: quelques-uns seulement gagnent l'Espagne du Nord. Peu adoptent la formule voyage organisé: « *Pendant toute l'année, nous travaillons à la chaîne. Les vacances, c'est avant tout la liberté. Aucun joug, aucune autorité.* » Ils partent à l'aventure – la tente dans le coffre de l'auto. Ils rouleront tant qu'ils auront assez d'argent pour acheter de l'essence. Les autres dépenses – nourriture exceptée – passent au second plan. Les villes-étapes seront souvent celles où ils pourront être reçus chez des parents. S'ils ne louent pas de voiture, ils enfourchent leurs motos, toujours en groupe.

Nombreux sont les jeunes qui doivent économiser plusieurs mois avant de partir. Ils ne choisissent pas comme travail annexe des occupations relevant de domaines différents de leur qualification professionnelle. Un jeune mécanicien réparera le dimanche la voiture d'un voisin, un jeune maçon aidera des amis de la famille à daller une cour. Le fruit des heures supplémentaires dans l'usine même est aussi, à l'approche du mois de juin, consacré au grand départ.

Enfin, comme chez les jeunes agriculteurs, beaucoup de jeunes ouvriers ne partent-pas en vacances. Ils vont seulement passer quelques jours dans la famille.

JACQUES BUSNEL

B. Mille et un métiers . . .

Jusqu'à l'âge de 16 ans pour la presque totalité des lycéens, la question des vacances est résolue de façon simple: ils partent avec leurs parents ou dans des groupes choisis par leurs parents et donc financés par eux, ce qui revient au même. Mais en nombre de plus en plus grand et de plus en plus tôt, les lycéens manifestent le désir de passer des vacances choisies par eux et, par conséquent, financées, dans la mesure du possible, par eux. Disposant de peu d'argent, ils choisissent les formules « courtes » et les plus économiques: ainsi, dès l'âge de 15 ans, nombre d'entre eux adoptent la solution bon marché des chantiers de travail. Ou bien ils travaillent, en général un mois (employés de bureau, de banque, des P.T.T., vendeurs, secrétariat, petit cours pendant l'année, etc.)

Le plus souvent, ils partent grâce à des organisations qui permettent, pour un prix modique *« de s'amuser, se détendre, de préférence au bord de la mer »*, ou bien de connaître un pays, une région. Ceux qui partent seuls ou avec des amis (auberges de jeunesse, camping, etc.) constituent une minorité. Restent, bien entendu, les traditionnels séjours à l'étranger pour se perfectionner dans la langue, dont les frais sont supportés par la famille.

Il semble qu'au fur et à mesure que l'on s'éloigne de Paris et des grandes villes les lycéens aient de moins en moins de vacances, la plupart travaillant, ne serait-ce qu'à mi-temps ou à la maison pour aider leurs parents. Durée moyenne des vacances: un mois et demi. Nature des « jobs »: garde d'enfants, bonne à tout faire, travaux dans les fermes (moisson), employés dans les postes, etc. Pour ces jeunes, une partie des gains contribue à payer le mois de vacances qu'ils passent surtout avec leurs parents. Le reste sert d'argent de poche pendant l'année. Certains même ne partent pas en vacances. Le fait que, souvent, ils habitent à la campagne explique en partie cette absence du besoin d'évasion. En revanche, d'autres ont le goût de vacances exceptionnelles comme ces cinq lycéens (deux filles et trois garçons) de Montargis qui iront aider à la construction d'un hôpital au Cameroun.

Les étudiants sont, lorsqu'ils sont reçus à leurs examens, libres pendant 3 ou 4 mois. Presque tous peuvent ainsi travailler pour payer leurs vacances. L'éventail des « jobs » qui s'offrent à eux est beaucoup plus large en raison de leur âge et de leur formation, mais le marché est très couru. Ils acceptent ainsi presque tout ce qui se présente: cours particuliers, distribution de prospectus, pompistes, barman, photographes sur les plages, correction de copies, etc.

L'étranger est le premier et le plus fréquent pôle d'attraction des étudiants, en quête de « *contacts humains, une connaissance du pays et des habitants, des activités culturelles* ». Viennent ensuite la plage et le « *farniente* ». De même ils vont de plus en plus loin: on rencontre des étudiants aussi bien au Mexique qu'en Laponie ou en Extrême-Orient. Les pays limitrophes sont connus: « *L'Espagne, ce n'est plus l'étranger* ».

Le choix des vacances est pour beaucoup une occasion de compléter les études poursuivies: une étudiante en puériculture partira à l'étranger, au pair, faire du « baby-sitting »; les élèves des écoles d'interprétariat accompagnent des groupes aux U.S.A., travaillent au pair en Angleterre ou comme réceptionnistes en Espagne: les élèves des grandes écoles font des stages payés dans les entreprises.

Certains préfèrent une formule de vacances utiles: 120 étudiants vont ainsi encadrer bénévolement des colonies de vacances. Et les autres partent comme brancardiers à Lourdes.

Enfin les vacances exceptionnelles se multiplient: un groupe fait Paris-Saigon en « tacots » des années 30, un autre rallie Vientiane en Opel et revient par le Transsibérien, des étudiants en droit gagnent l'Afghanistan à bord d'un camion Berliet, etc... Mais cela ressort du domaine de l'exploit, qui nécessite une longue préparation technique et naturellement financière.

JACQUES MALLÉCOT

C. On y pense toute l'année

Georges a 19 ans, il est brun, porte des cheveux raisonnablement longs. Il travaille comme employé dans une grande banque parisienne. Juin: déjà le temps des vacances.

« *Depuis plusieurs mois, je prépare mon départ. Avec 60.000 anciens francs, je peux encore me débrouiller. Pendant l'année je mets un peu d'argent de côté en prévision des vacances. Je vais voyager avec trois amis par un Club, à Capri.* »

Les grands voyages ne le tentent pas. « *Partir comme certains à l'aventure, ce n'est pas du repos. Nous, nous vivons au jour le jour. Notre avenir n'est pas assuré...*

« *Au club, il y a des sports nautiques, le soleil, les jeux. On décide pour vous, mais vous êtes libres. Si l'on veut faire des excursions, c'est facile.* »

Françoise n'est pas très loin de Georges, elle est standardiste dans une compagnie d'assurances. Pour elle, les vacances lui donnent plus de préoccupations. Elle ira en Grèce: « *Mes parents n'ont jamais pu s'offrir un tel voyage. Quand je leur ai dit mon projet, ils ne m'ont pas demandé l'argent que je leur donnais habituellement, car j'habite chez eux. D'ailleurs, je paye à crédit mes vacances. C'est plus commode. Pour l'argent de poche, je me débrouillerai: le soir, quand je rentre, je vais travailler dans une librairie de mon quartier.* »

Si les mois d'été sont pour beaucoup synonyme de vacances, ils représentent pour d'autres des moments de travail intense. C'est le cas des jeunes paysans.

Pour eux, les vacances, ils ne les connaissent qu'à travers la venue des citadins à la campagne. Les travaux des champs à cette époque de l'année les retiennent. En hiver, peut-être, ils pourraient s'absenter. La ferme vit au ralenti. Mais les jeunes agriculteurs disposent de peu d'argent de poche: ils travaillent « en famille ».

Pourtant ont eu lieu des tentatives dues à l'initiative de divers mouvements pour les emmener aux sports d'hiver. Mais cela demeure à l'état embryonnaire.

JEAN-MARIE TASSET

22 LES « JOBS » DE VACANCES

Il existe trois catégories de vacanciers: ceux qui s'abandonnent à un farniente intégral bien mérité, ceux qui consacrent leur repos à se fatiguer plus qu'à l'ordinaire, enfin ceux qui, n'ayant pas droit aux congés payés, se vengent en optant vaillamment pour les congés qui paient.

Ainsi la chasse aux « jobs » – ces petits emplois saisonniers que multiplient les vides causés dans les rangs de la France laborieuse – est-elle aujourd'hui le sport estival le plus activement pratiqué par des milliers d'étudiants des deux sexes.

Quant au touriste moyen, il ne peut être que flatté – sinon toujours ravi – du résultat: il a soudain affaire à des pompistes bacheliers, à des serveurs en passe d'être licenciés, à des valets de chambre philosophes, à des barmen latinistes, à des plongeurs férus de géométrie dans l'espace ou à des maîtres-nageurs nageant dans la chimie organique.

Mais tout cela est devenu banal. A côté de tous ces obscurs, de tous ces sans-grade, il y a les petits malins: ceux qui ont su se dénicher un « job » aussi lucratif qu'original, portant le plus laborieux des désœuvrements à la hauteur d'un raffinement.

A Perros-Guirec, on refuse les candidats au poste de gardien auxiliaire de phare depuis qu'un étudiant parisien, il y a deux ou trois ans, réussit à émouvoir le cœur d'une riche héritière italienne en l'apitoyant épistolairement sur son triste sort de solitaire perdu en mer... Les ressources de la côte bretonne ne sont pas pour autant épuisées. J'ai découvert un étudiant brestois qui joue les hommes-orchestre auprès d'un richissime Gallois.

Homme-orchestre? Oui! il fait office, à la fois, de chauffeur de maître et de pilote de bateau, de professeur de voile, de pêche et de breton, de guide-interprète et de conseiller-gastronome, de commentateur politique et d'historiographe local.

– *Si ça continue, je vais lui servir aussi de directeur de conscience! Remarquez, c'est le filon: cinq livres par jour, nourri et logé. Et le whisky à gogo!*

Un martyre, pourtant, le soir: mon patron voudrait que je sois aussi le Napoléon des échecs...

Après mon homme-orchestre breton, j'ai mis la main sur un extraordinaire homme-bison périgourdin. Ebouriffé et ébouriffant à souhait, vêtu d'une chemise type « peau de bête », je l'ai rencontré au « Préhisto-Bar », du côté des Eyzies.[1] D'abord j'ai hésité. Etait-ce un bipède du Moustérien, ou Antoine?

– Vous êtes beatnik? lui ai-je demandé.

– Non, je suis étudiant. Je veux me spécialiser en archéologie. Le matin, je fouille. L'après-midi, je pose.

– ???

– Eh bien, oui! Je pose en homme des cavernes pour les touristes, devant toutes les grottes des environs. Ça ne marche pas mal. Surtout avec les Américains. Ils n'ont pas de passé. Alors ils adorent se faire photographier pour un portrait de famille en compagnie de l'ancêtre de Cro-Magnon...

Il fallait y penser. C'est vrai qu'il y a en tout homme un bison qui sommeille.

GÉRARD MARIN

23 LES MAISONS FAMILIALES DE VACANCES

Comment passer les vacances – d'été ou d'hiver – avec de jeunes enfants? La question se pose chaque année à de nombreuses familles qui ne possèdent ni résidence secondaire ni gros budget.

Aller à l'hôtel avec plusieurs enfants est souvent très coûteux pour un séjour prolongé. Louer une grande maison au bord de la mer ne l'est pas moins. En outre, la mère de famille y retrouve tous ses soucis domestiques.

Une formule intéressante s'est largement développée ces dernières années: celle du séjour dans une maison familiale de vacances. Le succès est tel que la capacité d'accueil de ces maisons n'est plus suffisante malgré de nouvelles installations chaque année. Nous nous proposons d'apporter le point de vue de l'usager.

Le principe est simple: donner aux parents, spécialement aux familles nombreuses, la possibilité de passer, avec les enfants, et même des nourrissons, des vacances simples et reposantes à la mer, à la montagne ou à la campagne. En somme, c'est l'hôtel familial où les parents sont déchargés d'une grande partie des sujétions habituelles. Le prix de la pension est modeste, grâce à des subventions, versées au titre des œuvres sociales, aux associations gérant les maisons familiales, par les caisses d'Allocations familiales, de retraites ou de cadres. Les bénéficiaires doivent, en effet, cotiser à l'une de ces caisses. Ils sont accueillis – un certain « plafond » de salaire ne peut pas être dépassé – en fonction du nombre d'enfants. Les retraités y sont généralement reçus hors saison.

1 les Eyzies – commune de la Dordogne (station préhistorique).

Le prix de journée est variable selon les maisons. Il est normalement plus élevé dans les régions touristiques ou balnéaires réputées. Il y a une catégorie de prix pour les adultes et plusieurs par tranches d'âges pour les enfants. Des réductions – 5 %, 10 % ou 20 % – sont consenties aux familles ayant de nombreux enfants. Il convient, cependant, de prévoir quelques frais supplémentaires facultatifs, comme la location de draps, le goûter des enfants et l'adhésion à l'association.

Il y a moins de places que de demandes, nous l'avons dit. Aussi est-il nécessaire de s'inscrire longtemps à l'avance: en février et mars pour l'été, avant fin janvier pour Pâques. Les maisons familiales admettent en priorité pendant la durée des congés scolaires – notamment à Noël et à Pâques – les familles qui ont des enfants à l'école. Les autres – un, deux ou trois très jeunes enfants – ne sont admises que dans la limite des places disponibles, des désistements, au début ou en fin de saison ou dans le courant de l'année pour les M.F.V. ouvertes en permanence. Retenir si tôt est parfois un inconvénient, les dates d'accueil ne coïncidant pas forcément avec celles des congés des employeurs.

La modicité de la pension implique une participation aux services communs: tours de vaisselle et de « pluches » qui s'accomplissent rarement dans la mauvaise humeur. La nourriture est toujours simple et bonne – quelquefois excellente. Le repos est fonction de la bonne volonté commune, du degré de confort de la maison (très inégal…) et du nombre de personnes occupant celle-ci.

Certaines de ces maisons ont tendance, pendant la bonne saison, à remplir de pensionnaires de nombreuses « annexes ». La « maison mère » pouvant difficilement absorber ce surcroît de population aux heures de « pointe » des repas, le climat s'en ressent. En outre, le prix de pension de ces locataires « externes » se trouve parfois sensiblement majoré.

Il faut aussi un minimum de confort. Le chauffage est indispensable dans une maison familiale accueillant des enfants en dehors de l'été, à Pâques, en montagne.

Les lieux de réunion collectifs doivent être suffisants, sinon, quand il pleut, les familles sont contraintes à se réfugier dans leur chambre, petite dans certains cas, avec des enfants énervés.

L'un des éléments les plus appréciés des parents est la possibilité, lorsque la maison familiale compte un personnel qualifié suffisant, de confier les enfants à des monitrices spécialisées qui s'occupent de leurs jeux, de leurs promenades et de leurs repas. Si la garderie n'est pas permanente – cela peut arriver – les parents doivent harmoniser l'horaire de leurs loisirs avec celui de « prise en charge » de leurs enfants.

Dans l'ensemble, les avantages – financiers notamment – des M.F.V. l'emportent largement sur leurs inconvénients. Il faut toutefois envisager un tel séjour sans à priori. Si, par exemple, vous ne voulez pas partager la vie de famille d'un autre milieu que le vôtre, cette formule ne vous convient pas.

Si, au contraire, vous recherchez les contacts humains, de nouveaux amis même, vous n'en manquerez pas, à condition de participer de bon gré aux multiples activités organisées par les animateurs.

Mais si la vie collective vous rebute, n'insistez pas. Ce style de vacances n'est pas pour vous.

CLAUDE GAMBIEZ

La carte postale de Piem

24 MESSAGES TOURISTES

Automobilistes français et étrangers qui circulez sans itinéraire fixe, vous pouvez consulter chaque jour les Messages Touristes du FIGARO dans la plupart des stations-service SHELL BERRE.

Les revendeurs ou gérants de la société SHELL BERRE, sur simple demande, vous communiqueront le journal où figure peut-être un message vous concernant.

(A . . . à C . . .)
ARNOULT, Pierre (Montereau) Circulant auto 12–7 R.N. 4. – Valise tombée du toit 19 h. environ Montceau-les-Provins. Si retrouvée, avertir Arnoult, Montereau, 77.

BERNARD, Jean (Pontoise) – Bien arrivée. Site merveilleux. Cure commencée. Esp. en trouver repos. Mme Bernard.

BARBIEUX, Anne (Simca P–60 im. 7830 KV 75). – Dates vacances Vichy incompatibles. Ecrire urg. Claude.

BRICHARD, M. Mme (Simca blanche – caravane 4053 GN 75, circulant Bretagne). – Rentrer d'urg. Décès mère de Mme Brichard.

CHARTIER, M. (Melun). – Regagnons Paris le 28 via Rennes. Souh. belles vacances. Jean.

CYRAT, Paul (Brive). – Ecrit aux enfants lundi. T.V.B. Termine cure le 16. Santé bon. A. et Ph. viennent me voir 14–7. Madeleine.

(D . . . à L . . .)
DELAVY, Paul (Toulouse). – Vais bien. Jean revenu. Tous vont bien. G. Charpentier.

FRIOT, Christian (Meulan) – Reçu lettre de Lourdes et cartes. Ici T.V.B. Thomas.

GUILLOT, Paul (Mimizan) – Esp. voyage agréable. Attends impat. nouvelles. Maman.

LELONG, Georges (voyageant Yougoslavie, R–4 bleue im. 773 LS 67) – Téléphoner d'urg. au 45.68.99 Strasbourg et rentrer au plus tôt. Marlin, Rheims.

(M . . . à Q . . .)
PARADON, J-P. (Mont-de-Marsan) – Reçu nouv. du 16. Partons date prévue sans Patrick moniteur Treignac. P.R. Chamonix alentour 4–8. Dussel.

PATAREIX, Henri (Vichy) – T.V.B. Bon. Fête Henri et maman. Mémé-Legrand.

PERRY, M. (R8 gris métal, 396 PX 75, voyageant entre Puy-de-Dôme et Moselle) Reçue examen. Anne.

(R . . . à Z . . .)
ROBERT, Martine (Tournai-Angleterre) – Quatorze lettres envoyées. Champion en monoski. Pas s'inquiéter. Vincent Raimond.

TAPON, Maurice (Charenton) – Raison santé belle-sœur, voyage annulé. Départ immédiat Bretagne avec enfants. Jacqueline.

VIGERIE, Marc (DS im. 3918 JD 63) – Reçu courrier. T.V.B. Cadeaux formid., merci. Lettre suit. Louis.

ZIURTA, M. (camion blanc 77 DX 93) – Se mettre en relation d'urg. avec mairie de St Brieuc (22).

25 MALADIES INFAMANTES

Rien n'est plus agréable que de dénouer sur du sable fin tout ce qu'on a en soi de tendu et de crispé. Profitant d'un rayon de soleil, je m'étais allongé sur la plage, les yeux fixés sur de petites vagues courtes, qu'on eût dit indépendantes de la mer, et qui jouaient entre elles comme des lutins. A côté de moi, des gens bavardaient sous un parasol. Tamisées par l'air marin, leurs paroles n'étaient qu'un murmure quand, soudain, celui-ci devint intelligible.

– On ne voit pas les Untel, cette année. – Vous ne savez donc pas ce qui est arrivé à leur malheureux fils. – Il lui est arrivé quelque chose? – Un accident affreux. – Ça ne m'étonne pas. On n'ose plus prendre la route. – Pas sur la route. A la maison. – Une intoxication? – Pas du tout. Il a tout simplement tué sa femme. – C'est horrible! Je suis sûre que c'est un drame de la jalousie. – Non. C'était un couple très uni. Ils s'adoraient. Il l'a étranglée à la suite d'une petite scène de ménage. Elle voulait partir en vacances le matin très tôt et lui, soutenait qu'il vaut mieux prendre la route en fin d'après-midi et faire étape à mi-chemin. De fil en aiguille, ils se sont énervés, le ton a monté, il lui a serré le cou et elle n'a plus bougé. Elle était morte. – Pauvre garçon!... Il doit être effondré... – Ce n'est pas tout. La bonne a eu le tort d'intervenir et, ça, il ne l'a pas supporté. Il a pris son P. 38 et pan! pan! pan! pan! pan!... Il l'a fusillée à bout portant. Et puis, vous savez ce que c'est, un accident en entraîne un autre, le concierge, alerté par les coups de feu, est venu sonner à la porte de l'appartement. Naturellement, il a pris en pleine tête les trois balles qui restaient dans le chargeur. Le commissaire de police a eu de la chance... C'est un homme très bien, ce commissaire. Il a son brevet de secouriste. Il lui a administré tout de suite des tranquillisants et lui a fait promettre de se tenir sage. – Et où est-il maintenant, ce malheureux garçon? – Dans une clinique spécialisée dans l'insanité temporaire. Il va beaucoup mieux. – S'il sort en septembre, il aura peut-être plus beau temps que nous pour ses vacances...

Les voix s'éteignirent. Les vagues couraient toujours sur la mer. La conversation reprit. Je prêtai l'oreille. Cette fois, cela venait non plus de la droite mais de la gauche.

– On n'a pas vu les Untel-Untel. – Les pauvres gens ne viendront pas. Ils ont un coup dur. – Pas possible... – Leur fils aîné a fait des siennes. – Celui qui passait brillamment tous ses examens et qui jouait de la guitare? – Celui-là même. – Il a fait des bêtises? – Pire que ça. Du jour au lendemain, il s'est mis à faire de l'eczéma. On a espéré un moment que c'était nerveux, mais il a fallu se rendre à l'évidence: ça vient du foie. – Alors, qu'est-ce qu'on lui a fait? – On l'a enfermé dans une centrale de redressement du foie, un établissement où règne une discipline de fer. – Pauvres parents!... – C'est d'autant plus triste que voilà une famille qui, depuis trois générations, n'avait pas eu un rhume de cerveau. Et puis, brusquement, c'est la dégringolade, le déshonneur. Déjà, dans leur quartier, on les montre du doigt. Ici, ça ne se sait pas encore. Aussi je vous supplie de n'en souffler mot à personne. – Comptez sur moi... Et, sans me nommer, dites-leur que vous connaissez quelqu'un qui pourrait peut-être leur obtenir un permis de visite. Pas tout de suite, bien sûr, mais dans quelques mois...

D'un côté, on s'apitoyait sur le tueur et on le traitait avec des pilules. De l'autre, on considérait l'eczéma comme une maladie infamante et l'on bouclait celui qui en était affligé. Tout cela était bien singulier. On eût dit que ces conversations étaient tenues dans un autre univers que le nôtre. Soudain, la lumière se fit dans mon esprit. A une époque où les pulsions criminelles sont considérées comme étant d'origine pathologique et justiciables d'une thérapeutique, il était inévitable que la maladie devînt un crime. Une coqueluche, un érysipèle, et l'on met en péril l'équilibre social. Il ne reste plus qu'à sévir...

Je sentis qu'on me frappait sur l'épaule. C'était l'homme des parasols.

– Je m'excuse de vous réveiller, dit-il gentiment. Le soleil est couché depuis longtemps. En dormant sur le sable à la fraîche, vous risquez d'attraper des rhumatismes.

Je me levai d'un bond. La plage était déserte. Je crois qu'elle l'avait toujours été.

JAMES DE COQUET

5 Arts Ménagers

26 LES FRANÇAIS JOUENT LA CARTE-GADGET

Un morceau de carton, quelques lignes sur une image ont transformé le commerce du petit article ménager. Née au Etats-Unis, la « la carte-gadget » est devenue aujourd'hui grâce à certains fabricants français une industrie florissante. Ainsi, l'un d'entre eux, monopolise à lui seul les trois quarts du marché national. Sa production est passée en six ans de quarante à plus de cent cinquante articles présentés sous cette forme.

ARTS MENAGERS

« Ch. bonne à tt faire, sér., réf., diplômée électronique ou similaire pour s'occuper cuis. et ménage. »

Les raisons d'une telle progression? La réputation d'une marque, une fabrication améliorée (qui fait appel de plus en plus à l'acier inoxydable), mais surtout des images appétissantes! Pour la ménagère, qu'importe la technique et le mode d'emploi pour lesquels quelques phrases explicatives et des dessins sommaires suffisent amplement. Le coupe-tranches ou le couteau-éplucheur « en position de travail » la stimulent moins dans ses achats que les rondelles de tomates déjà étalées sur un plat et les carottes prêtes à cuire. Cette « mise en appétit » par l'image a d'ailleurs si bien retenu l'attention des Américains eux-mêmes qu'ils commandent, d'ores et déjà, maintes cartes françaises, bien décidés, semble-t-il, à mettre aussi les leurs à la mode parisienne! Cela, par le truchement du presse-ail, du taille-frites et du tire-bouchon qui acquièrent, outre-Atlantique, un attrait, voire même un charme exotique tout particuliers.

En revanche, c'est l'ouvre-boîte à pince qui prime ici sur le marché avec, comme chiffre-record, 120.000 pièces par mois. Viennent ensuite les brochettes (100.000), les coupe-tomates (70.000), puis les tire-bouchons et râpes (40.000) ainsi que les coupe-œufs durs, les taille-frites, les couteaux éplucheurs et les décorateurs à pâtisserie (25.000).

Succès en France, mais large accueil aussi à l'étranger. Tant et si bien que l'exportation des cartes-gadgets a progressé de 20 % en un an.

Lorsqu'on sait enfin que la quasi-totalité de ces articles valent entre 1 F et 6 F, on comprend d'autant mieux que la ménagère se laisse tenter par d'aussi « brillants atours ». Quitte à laisser dormir, un jour ou l'autre, sa dernière trouvaille au fond d'un tiroir!

27 LES ESPIONS DE LA MODE

Dans deux jours, le secret sera levé sur la nouvelle mode. Enfin, quand je dis le secret... Il y a déjà trois semaines que, suivant une tradition établie depuis plus de dix ans, les indiscrétions, prédictions et autres révélations sur les tendances des collections paraissent un peu partout dans la presse, avec la bénédiction tacite (quand ce n'est pas la collaboration effective) des créateurs.

Une nouvelle étape sera encore franchie, la semaine prochaine, dans le domaine de la divulgation: un bon nombre de couturiers ont accepté de voir publier dans certains journaux quotidiens, en même temps que les habituels comptes rendus de leurs collections, des « croquis de tendance très poussés » et même parfois des « croquis exacts » de leurs modèles.

Mais cette nouvelle mesure n'est-elle pas incompatible avec la lutte contre la copie que poursuit inlassablement la corporation des couturiers?

Daniel Gorin, le président délégué de la Chambre syndicale de la couture, avoue son inquiétude:

– Un croquis précis est encore plus dangereux qu'une photo qui n'offre qu'un certain angle. Mais comment faire autrement? L'interdiction de publier des croquis pendant au moins trois semaines après la présentation de collection n'était finalement respectée que par la presse française. Les quotidiens américains les plus importants passaient outre, offrant tout de suite à leurs lecteurs des pages entières de documents. Cette mesure remerciera en quelque sorte nos compatriotes de leur correction et de l'aide qu'ils apportent à notre profession.

Il faut ajouter que les journalistes n'étaient pas les seuls à enfreindre la règle. Certains couturiers acceptaient aussi (quand ils ne le proposaient pas eux-mêmes) de donner aux journaux des documents exclusifs, de montrer des modèles à la télévision. Mieux valait donc ne plus faire de jaloux.

Comment se défendre après cela contre les copieurs?

Evidemment, les modèles sont déposés. Il y a toujours la loi du 12 mars 1952 qui punit la contrefaçon des modèles de 3 mois à 2 ans de prison, de 50 à 5.000 francs d'amende. Mais qu'est-ce en regard des bénéfices que la copie procure à certains? Car il ne s'agit plus de petits copieurs individuels.

Sur l'impulsion de certaines officines américaines, la copie est devenue une vaste entreprise. Des équipes de « kodaks », « journalistes » ou acheteurs professionnels marrons (mais comment les repérer?) croquent sur le vif des détails partiels. Tous les soirs, ils se réunissent dans un bistrot pour assembler leurs ébauches et reproduire avec exactitude les modèles entiers. Croquis qui, dans les trois jours, seront vendus au marché noir à des maisons de confection, françaises ou étrangères, qui n'ont pas pu, ou pas voulu, envoyer d'acheteurs cautionnés (la caution obligatoirement déposée par les professionnels chez les couturiers pour pouvoir assister à une collection varie entre 2.000 et 4.000 francs par maison, somme qui sera déduite sur le montant des achats).

Il y a bien un contrôle des journalistes accrédités exercé par la Chambre syndicale, des contrôles personnels exercés par les maisons de couture sur les invitations, la surveillance discrète des éventuels « croqueurs » par des « mouchards » répartis dans les salons. Mais comment savoir, lorsqu'un modèle sort de la maison pour être photographié dans un studio, même réputé, si des mains malhonnêtes ne se glisseront pas, au passage, pour l'examiner sous toutes les coutures?

Même quand les coupables sont pris, les procès coûtent cher (quinze sont en cours depuis cinq ans) et ils ne procurent en fin de compte que des victoires à la Pyrrhus: responsables punis, mais des équipes qui se reforment ailleurs.

Comme dit Daniel Gorin, désabusé: « *Nous faisons un service international de la mode, deux fois par an, comme d'autres distribuent du gaz ou de l'électricité, mais, hélas, chez nous, il n'y a pas de compteur!* »

Reste à savoir si, en dehors du manque à gagner pour l'inventeur d'une mode, la copie est une chose à redouter.

« *Oui* », dit Courrèges, dont on a tellement galvaudé les idées qu'elles sont devenues inutilisables par lui.

« *Non*, dit Saint-Laurent. *Nous copier, c'est accepter les idées que nous lançons. C'est donc le succès.* »

« *Qu'importe*, dit Castillo. *Impossible d'exécuter un modèle aussi bien qu'un couturier.* »

« *Bravo*, dit Chanel. *On me copie? Cela prouve que j'ai raison.* »

HÉLÈNE DE TURCKHEIM

28 RETENEZ CES NUMÉROS DE TELEPHONE . . . ILS POURRONT VOUS DEPANNER

Il y a une fuite! La télévision est en panne... Où faire redoubler cette veste? Et tous ces vêtements à nettoyer! Autant de petits soucis auxquels répondent les services d'urgence de dépannage qui se multiplient tous les jours. Voici une liste qui ne prétend pas être exhaustive. Notez ces numéros de téléphone.

Nettoyage ultra-rapide de vêtements
Quatre kilos de vêtements nettoyés en 35 minutes pour moins de 15 F. La machine ne les rend pas plus froissés que dans l'état où on les a donnés, donc pas de soucis de repassage.
Téléphoner au Centre d'information *Poly-Nett: 250-56-25* (tous les jours ouvrables), qui indiquera les adresses des vingt services de nettoyage en libre-service répartis dans Paris.

Réparation rapide de souliers
Sur un coup de téléphone, on vient chercher (et on rapporte) gratuitement à domicile, dans Paris et la banlieue limitrophe, tous souliers à réparer. Ressemelage pour homme: 20,50 F.; pour femme: 18 F. (Réparations immédiates, 34, rue Godot-de-Mauroy.) *Claraso: 742-49-79.*

Gros nettoyages. Débarras intégral des caves, greniers, ferrailles, etc.
Lessivage des murs, des vitres. Parquets: paille de fer, vitrification. Peintures. Plâtre. Tarif nettoyage: selon travail, de 1 F à 12 F le m². Devis gratuit pour autres travaux. *Les Jeunes Laveurs de Paris: 770-97-40.*

Courses et transports
Camionnettes avec chauffeur arrivant dans la demi-heure. Elles sont équipées de radios, de sorte qu'on peut rester en rapport avec le chauffeur par l'intermédiaire du service. De la 2 CV. au 5 tonnes.

Tarif petit transport rapide, 2 heures et 20 km.: 27,40 F. *S.V.P.-Transports, rive droite: BROssolette 15–15; rive gauche: DANton 97–00.*

Ou bien: transports dans Paris, par mobylette, de paquets peu encombrants (8 à 10 kg.), la course: 6,50 F, tout compris. Par camionnettes ou estafettes: 20 et 25 F de l'heure, tout compris. *Allô-Course: 425–29–08.*

Ou bien: camionnettes-taxis équipées de radios pour tous transports, y compris bagages ou animaux malades, etc. Prise en charge: 8 F. Le kilomètre dans Paris: 1 F; hors-Paris: 1,80 F. L'heure d'attente: 20 F. Retour compris. Tarif inscrit au compteur. *Allô-Fret: 735–88–80.*

Chauffeurs sans voitures

Pour résoudre le problème du stationnement, vous conduire et vous attendre avec votre propre voiture, d'anciens chauffeurs de maisons particulières en veston bleu et casquette. Minimum de 3 heures et 12 F de l'heure. Après 20 heures, 13,50 F; après minuit, 16,50 F. Après deux jours de service, conditions spéciales. *Allô-Chauffeur: JASmin 82–89.*

Aide familiale de tout genre

Répétiteur occasionnel, analyse graphologique, garde d'enfant, course à faire, aide pendant un week-end, jardinage, repassage, raccommodage, préparer un repas, le servir, faire la vaisselle, etc. Personnel qualifié arrivant dans les 24 heures. De 10 à 18 F l'heure, selon les catégories professionnelles. En banlieue, majoration d'une heure. *Madame-Service: COMbat 95–35 et la suite.*

Réparations et mise au point des vêtements

Pris à domicile par personne qualifiée (avec devis approximatif) à partir de 50 F de réparations. On a donc intérêt à les grouper. Ourlet de robe fait dans la journée: 10 F environ. Doublage d'une veste d'homme, étoffe fournie par le service: 70 F. *Vêtements-Service: 380–07–20.*

Tous incidents ménagers

(eau, gaz, chauffage, serrurerie, électricité, menuiserie, vitrerie, radio, T.V.) Déplacement: 20 F pour Paris, Seine et Seine-et-Oise, plus temps passé compté au compteur sur la base de 21 F de l'heure. Jour et nuit, dimanches et jours fériés. Tarif nuit: 31 F l'heure. *S.O.S.: 99–99.* Ou bien: mêmes services, déplacement: 20 F. Temps passé sur la base de 20 F l'heure. Nuit et jours fériés, majoration de 25 %. *Pépin-Secours: 870–36–13 et 870–71–38.*

Ce qu'il faut savoir également:

Les Taxis se chargent du transport de petits paquets et missives. Appeler par téléphone un taxi en spécifiant: « Pour colis non accompagné. » Le tarif normalement inscrit au compteur est payé par le destinataire (qui doit être, naturellement, prévenu).

Le Gaz de France est à votre disposition 24 heures sur 24 en cas de fuite ou d'odeur de gaz. Demander la section de votre quartier, ou en cas de non-réponse, le *Service de sécurité à 282–20–20*.

L'Electricité de France offre le même service pour tout accident intéressant l'installation jusqu'au compteur. Demandez la section dont vous dépendez. Ou bien elle vous répondra directement ou bien votre appel sera dirigé automatiquement sur le Service central.

Les Commissaires de Police fournissent, en cas d'urgence, des adresses de médecins, dentistes, pharmaciens, vétérinaires et (en principe) serruriers.

Enfin, signalons la brochure éditée par S.V.P.: *Allô-Service 1965*, contenant les adresses de 500 spécialistes représentant plus de 350 corps de métier à votre disposition sur simple appel téléphonique. On y trouve toutes les adresses possibles, dépanneurs de radios et de télévisions naturellement (et de mille autres choses), mais aussi le Centre antipoison, le Secours aux brûlés, les renseignements sur la fiscalité, les communications avec les bateaux en mer..., etc.

29 LA QUALITE DU PAIN

Supplantant au cours des deux guerres le pain viennois si réputé, les pains français, longs et « faits à la main », furent si appréciés des Américains qu'un certain nombre de « baguettes » sont, paraît-il, expédiées outre-Atlantique par l'avion quotidien.

Nous ignorons si le pain est meilleur à Vienne qu'à Paris, mais nous voulons espérer que les baguettes envoyées à New York sont supérieures à celles trop souvent vendues aux Parisiens.

En effet, si nous en jugeons par le courrier de nos lectrices, trop souvent le pain, acceptable le matin, au moment où on l'achète, devient exécrable le soir. Il lui arrive d'être mou et élastique comme une éponge en caoutchouc. D'autres lectrices s'inquiètent de voir chez certains boulangers des affiches avec la mention: « Ici pas de produits chimiques dans le pain », ce qui laisse penser qu'il est possible d'utiliser lesdits produits.

Il est certain que la qualité du pain, surtout dans les grandes villes, n'est plus ce qu'elle était autrefois, et c'est sans doute pour cette raison qu'on en mange moins.

Nous avons essayé de déceler les raisons de cet état de choses. En remontant aux sources, il ne semble pas que la qualité du blé soit plus mauvaise qu'autrefois. La farine est nettement meilleure, le blé est soigneusement nettoyé et même mélangé avec des variétés différentes pour obtenir la meilleure panification. Il est moulu progressivement et si la farine contient moins de son (dont l'utilité est controversée) elle est plus hygiénique que celle d'antan, écrasée par des meules qui gardaient peut-être certains éléments intéressants, mais aussi la poussière et la silice provenant de l'érosion des meules.

Les bons vieux fours à bois ont souvent été évoqués. Il est certain qu'ils donnaient au moins un certain « fumet » au pain, mais leur mise en température et leur cuisson trop lentes étaient devenues incompatibles avec l'indispensable productivité moderne. En revanche, il est exact qu'un certain nombre de fours au mazout, incomplètement étanches, furent dangereux, mais les pouvoirs publics ont pris des mesures pour rendre obligatoire leur remplacement. Présentement les fours modernes, électriques, à gaz ou au mazout, sont parfaitement sûrs.

En ce qui concerne les produits chimiques incorporés à la pâte, nous avons interrogé le Syndicat de la boulangerie parisienne. On ne nous a pas caché qu'il existait certains produits « améliorants » mais sans danger et de ce fait parfaitement autorisés.

Finalement, il semble que c'est chez le boulanger qu'il faille rechercher la qualité du pain. En effet, selon plusieurs « tests » soumis à des spécialistes de la panification, sur cent « baguettes » achetées le même jour dans cinquante boulangeries parisiennes, 19 étaient nettement mauvaises, 56 discutables et plutôt médiocres; 19 acceptables, et 6 seulement très bonnes.

Raisons de cette médiocrité: cuisson imparfaite (75 % des baguettes examinées), mauvaise température de la pâte insuffisamment contrôlée, mauvais pétrin et façonnage trop hâtif. Tout semble donc se résumer à une question de rapidité (le mal du siècle) dans la fabrication pour obtenir une productivité plus rentable.

Le remède? Il est bien simple: se donner la peine, de temps en temps d'acheter un pain chez un boulanger différent parmi tous ceux du quartier et comparer. Reste une dernière solution: faire recuire votre pain en le passant quelques minutes au four.

6 Questions Sociales

30 UN CONSEIL MUNICIPAL DE JEUNES

Une nouvelle preuve de l'intérêt que les jeunes portent à la vie de leur pays: Cholet a depuis hier un « conseil municipal composé de moins de vingt-trois ans » – conseil consultatif créé sur l'initiative du conseil municipal de la ville. Il y avait soixante-treize candidats. Trente et un sièges étaient à pourvoir. Mille cinq cent sept jeunes étaient inscrits. Mille trois cent sept ont voté. Résultat: mille deux cent trente-cinq suffrages exprimés; soixante-douze bulletins nuls.

Ce vote représente un succès pour une première consultation électorale de ce genre. En effet, il faut compter à Cholet environ quatre mille garçons et filles de seize à vingt-trois ans, âge requis pour être électeur du conseil. Les jeunes de Cholet peuvent donc maintenant s'énorgueillir d'avoir voix au chapitre dans les affaires de leur cité.

– Nous avons lancé cette idée en mars, nous dit-on. Il s'agit de permettre aux jeunes d'exprimer leur sens des responsabilités, de leur donner avis de droit sur toutes les affaires les concernant et ayant un caractère public. Enfin d'avoir leur opinion sur certains problèmes qui se posent à tout adulte et adolescent: l'urbanisme, par exemple. Ce conseil de jeunes sera sûrement un élément de paix sociale dans la cité.

Le premier souci des organisateurs des élections a été de permettre à tous d'accéder à ce conseil, d'où quatre listes dont le nombre des représentants élus correspond à l'importance de la classe sociale: neuf étudiants, huit employés, huit ouvriers et six agriculteurs. Un comité provisoire s'est occupé de l'établissement des statuts pour permettre la consultation électorale. Les membres avaient été désignés par d'autres jeunes au cours d'une grande réunion.

Les élus réagissent selon leur tempérament. Serge Verfaillie, dix-neuf ans, étudiant:

– Les adultes doivent maintenant compter avec nous. Ce que nous voulons, c'est une unification des jeunes. Divers mouvements existent déjà dans la ville, mais nous souhaitons nous retrouver tous ensemble. Nous avons de nombreux projets, en particulier celui de créer un syndicat d'initiative pour renseigner tous les moins de vingt-trois ans sur les loisirs qui leur sont offerts, sur les sports qu'ils peuvent pratiquer. Nous aurons un budget. Il y a déjà 2.000 F en caisse: le montant de la recette du bal que nous avons organisé samedi.

Alain Bossard, 21 ans, ouvrier:

– Nous ferons notre possible pour aider les jeunes à trouver du travail. L'un des problèmes qui se posent à Cholet est celui de toute ville-champignon.

La « banlieue » s'est considérablement agrandie en dix ans. Or nous avons comme principeux débouchés, outre la célèbre industrie des petits mouchoirs, celle des chaussures, une usine de plastique, etc. Il n'empêche qu'un bureau donnant des informations sur les emplois possibles aidera beaucoup les jeunes.

Quant aux conseillères municipales, elles ont choisi leur terrain d'activité.

Nelly Forcinal, 18 ans, étudiante, précise:

– L'action sociale nous prendra beaucoup, surtout l'aide aux vieillards, en particulier, et aux nourrissons. Nous saurons passer d'un extrême à l'autre.

Une première leçon à tirer du début de l'expérience: les candidats n'ont pas fait une véritable campagne électorale, de telle sorte que beaucoup d'entre eux n'étaient pas assez connus de leurs électeurs. Samedi prochain, les élus vont se réunir pour la première fois. Devant eux, beaucoup d'inconnues: leur bonne entente, la nature de leurs rapports avec les autres conseillers, et leur efficacité. Cependant un premier pas est franchi.

JACQUES BUSNEL

31 JEUNES DELINQUANTS DEVANT LA JUSTICE
A. Le dépôt: Carrefour des enfants perdus

L'augmentation de la délinquance juvénile est un fait dont se préoccupent aussi bien la police que tous les organismes de jeunesse. Il y a quelques jours nous avons publié des statistiques inquiétantes sur cette aggravation: en 1966, sur 23.665 délits 15.008 ont été commis par des mineurs. Les nouvelles méthodes en matière d'éducation surveillée s'efforcent d'endiguer cette vague de criminalité, mais la tâche n'est pas exempte de difficultés.

Quai de l'Horloge. La préfecture de police.—Une voiture stationne dans la deuxième cour. Sur l'arrière, une inscription insolite pour l'endroit: « Transport d'enfants ». A droite, une lourde porte à guichet gardée par un agent. Derrière cette porte, une halte sinistre qui s'ouvre sur l'inconnu: le Dépôt. Il est vingt-trois heures.

Sous cette voûte sombre et lugubre, où même les durs n'en mènent pas large, un car spécial a amené des enfants. Ils ont entre quatorze et dix-huit ans.

Malgré cette loi du 2 février 1945 qui a entièrement transformé les conceptions punitives en matière de délinquance juvénile, il apparaît en effet qu'en 1967 on en est toujours à envoyer les mineurs au Dépôt comme les adultes. De nombreux magistrats et même la police ont, à plusieurs reprises, réclamé un local carcéral qui serait uniquement réservé aux jeunes délinquants avant le « triage ». Il paraît que c'est impossible à trouver.

Que va-t-il se passer pour ces adolescents? Les maisons de redressement ont été liquidées, c'est un fait acquis. On ne confisque plus les années de jeunesse comme s'il s'agissait de billes, on ne dit plus:

« Vous me ferez cinq ans » aussi facilement que: « Vous me ferez cent lignes », mais qu'est-ce qui remplace cette politique pénitentiaire? Des dizaines de milliers de mineurs sont passés, l'an dernier, pour un délit quelconque, devant un officier de police. Mais, Dieu merci, ils n'ont pas tous fait l'objet d'une mesure de justice. Trois quarts d'entre eux relèvent d'une délinquance purement occasionnelle.

Quand il ne s'agit pas de récidive et que le milieu et l'environnement paraissent être des freins suffisants, la machine judiciaire s'arrête au poste de police où en présence des parents, le commissaire se contente de dire au gamin, plus ou moins sévèrement, suivant son caractère, de ne pas y revenir une seconde fois.

Mais dans certaines circonstances, le policier estime qu'il est bon d'établir une procédure. Si le garçon est sérieusement récidiviste, par exemple. Ou bien, si le fait de le renvoyer purement et simplement dans sa famille, peut constituer pour lui un danger permanent. Ou encore s'il est impliqué dans une affaire complexe à laquelle des majeurs (plus de 18 ans en code pénal) sont mêlés.

Comme on le voit, le délit proprement dit n'est pas uniquement en cause pour la poursuite de l'affaire. La question primordiale est de se préoccuper de l'entourage du délinquant, et de la façon dont il vit. Même si l'infraction est relativement importante, on pourra souvent relâcher un mineur dont la famille offre des garanties de stabilité.

Ce n'est pas le cas de Pierre X..., 15 ans et demi, qui se retrouve là ce soir. Un inspecteur l'a pris sur le fait, en train de voler un disque de Johnny Halliday dans un Prisunic. C'est son troisième chapardage. Les policiers auraient peut-être passé l'éponge car le gosse – un adolescent malingre qui ne paraît pas son âge – s'est effondré et a semblé sincèrement regretter son geste. Mais quand ils ont convoqué les parents, ils ont constaté de leur part une incapacité dangereuse et une totale désaffection à l'égard de Pierre. On l'a gardé.

Dès qu'il est arrivé au dépôt, il a eu un entretien avec l'un des éducateurs du C.A.T.S. (Centre d'accueil et de triage de le Seine). Un peu bizarre de parler d'un centre d'accueil dans ce décor qui rappelle la Conciergerie mais les hommes qui travaillent là n'y sont pour rien.

On leur envoie quelquefois jusqu'à trente enfants par jour et tout doit aller très vite. Sauf cas exceptionnels heureusement, pas question de garder un mineur dans ces lieux plus de vingt-quatre heures. Pendant ce temps, il faut d'une part, qu'un juge statue provisoirement sur son sort et, d'autre part, fournir à ce magistrat le maximum de données sociales et psychologiques sur le sujet qui va comparaître devant lui. Suivant la procédure établie à la police, les jeunes délinquants seront déférés soit devant un juge pour enfants (quand l'histoire est simple) ou devant un juge d'instruction (si des majeurs y sont impliqués ou lorsque l'infraction est plus sérieuse).

Pierre est assis dans un des bureaux du dépôt en face du directeur du centre. Maintenant, on fait bien les choses: ce n'est pas un interrogatoire, c'est une conversation. L'éducateur s'efforce de mettre Pierre en confiance. On parle de son enfance, de l'endroit où il vit, de ses camarades, de tout, sauf du délit. Le gosse qui au début meurt de frousse semble un peu se détendre. Un rapport est établi en fonction de toutes ces déclarations avec quelques suggestions d'orientation, dont s'inspirera peut-être le juge devant lequel il va comparaître.

Interrogatoire. Chaque juge reprend à zéro l'entretien. Il y a des visages sévères ou des visages bon enfant. C'est la loterie. Retour au dépôt dans des cellules où la lumière ne filtre pas. Récréation dans une pièce assez insolite pour un tel endroit, où l'on a aménagé une table de ping-pong et un coin de modelage.

Quelques heures d'attente et la décision du juge intervient. Suivant son cas, trois solutions peuvent être adoptées. La formule la plus souple est évidemment la liberté surveillée (un éducateur est alors désigné pour le diriger dans ses loisirs ou son travail). Autres moyens, connaître en un mois ou deux les possibilités psychologiques et professionnelles du garçon pour l'orienter ultérieurement vers une vie plus raisonnable, soit en l'envoyant dans un centre d'observation à Paris (rue Sedaine) ou en banlieue (Savigny-sur-Orge), soit, si l'affaire est plus sérieuse et que l'incarcération semble nécessaire, au quartier des mineurs de la prison de Fresnes.

HUGUETTE DEBAISIEUX

B. Du centre de Savigny-sur-Orge au quartier des mineurs de Fresnes, un seul dessein: dresser le « bilan humain » de l'adolescent

Un jeune délinquant arrêté est dirigé au début sur la même voie judiciaire qu'un adulte. Il connaîtra le commissariat de police, le Dépôt et le juge. Mais ensuite son chemin va diverger: on va s'efforcer, pour le réintégrer dans la société, de faire le tour de ses possibilités.

Le Centre d'observation pour mineurs délinquants de Savigny-sur-Orge est situé dans un domaine de plusieurs hectares. 187 pensionnaires de 14 à 17 ans vivent pendant deux ou trois mois dans des bâtiments clairs dont la disposition fait penser à une université américaine. Pas de cadenas aux portes. Les fugues sont faciles. On en compte d'ailleurs une moyenne de dix par mois. L'instabilité caractérielle d'un grand nombre en est la cause. C'est à Savigny, après comparution devant le juge des enfants, qu'une ordonnance de placement provisoire a conduit Pierre A..., un garçon de 15 ans et demi, auteur de plusieurs vols. Lui ne songe pas à se sauver. Mais il a besoin d'être mis en confiance et « déculpabilisé ». On le garde d'abord pendant cinq jours dans les locaux du groupe d'accueil avec quatre nouveaux arrivants. Des éducateurs et des médecins lui font passer des examens médicaux, morphologiques, psychologiques, ainsi que des tests d'orientation.

On fait parler Pierre, on lui demande ses impressions. Il répond, et chaque jour l'éducateur rédige une fiche d'observation qui aboutit à un premier rapport sur l'enfant. Pierre est ensuite mêlé à l'activité normale du Centre. Il se lève à 7 heures, va à l'atelier de 9 heures à midi (il a choisi la menuiserie); déjeune en petit groupe dans des salles à manger individuelles (le réfectoire est proscrit); suit des cours d'enseignement général l'après-midi et après le dîner assiste à une veillée éducative ou à un télé-club.

Mais à travers la classe, les loisirs, le sport ou le travail, on continue à surveiller ses réactions – souvent sans qu'il s'en doute – et à les noter dans son dossier. Le bilan, qui sera fait en fin de séjour, aura trois cents pages. On y consignera tout ce qu'il est humainement possible de connaître sur un individu. Jamais personne ne se sera autant préoccupé de l'avenir de Pierre.

La rue Sedaine est en plein cœur de Paris, près de la Bastille. Un immeuble neuf de cinq étages; c'est le Centre d'orientation et d'action éducative.

Au cinquième, l'étage des arrivants, où l'on va conduire André V…, autre jeune délinquant coupable de vols de voitures, la porte est fermée à clef. C'est en vase clos que l'on va procéder aux mêmes investigations qu'à Savigny, mais dans des délais plus rapides.

Pendant que des spécialistes s'occupent de savoir ce qu'André V… pourra faire dans la vie, une assistante sociale fait une enquête à l'extérieur sur sa famille et son environnement. On s'aperçoit que si son milieu est néfaste, lui, en revanche, est très récupérable. Là encore, toutes ces indications vont être soigneusement consignées avec les observations psychologiques d'usage, dans un rapport de synthèse.

Prenons un troisième cas: Jean-Marie S…, 17 ans, pour lequel la Justice sera moins indulgente. Accusé de coups et blessures à agent, il est transféré sur mandat du juge d'instruction au quartier des mineurs de la prison de Fresnes, en vue d'un séjour préventif qui durera de deux à six mois. Apparemment, le processus est le même: il s'agit de faire un bilan. Mais les conditions de vie, évidemment, sont bien différentes de celles de la rue Sedaine ou de Savigny.

Bien qu'il n'y ait pas de personnel pénitentiaire au quartier des mineurs, la prison, c'est toujours la prison. Les hauts murs, les barreaux aux fenêtres et trois étages de cellules où se casent 140 jeunes détenus pour 64 places.

– Je reçois en ce moment trente pour cent de plus de délinquants que l'année dernière, dit le directeur, mais je n'ai toujours que soixante-quatre places, et je n'ai pas le droit ici, comme on peut le faire dans un centre d'observation, de refuser du monde…

Le responsable du quartier des mineurs est le premier à reconnaître que Fresnes, pour ces garçons, est vraiment un pis-aller.

— Il ne s'agit pas de condamner automatiquement le milieu fermé pour ces délinquants, mais la prison n'arrange pas les choses. Heureusement, on construit en ce moment à Juvisy un centre qui doit permettre de supprimer Fresnes.

Aussi, pour ces mineurs, tente-t-on d'adoucir le régime carcéral. On peut voir en effet, à Fresnes, spectacle insolite, une dizaine d'adolescents en survêtement de sport faire des parcours chronométrés sous la surveillance d'un moniteur. Mais on a un frisson d'angoisse lorsqu'on pénètre dans le bâtiment, schéma classique des prisons avec son hall central autour duquel se répartissent trois étages de portes verrouillées. Jean-Marie a été placé dans une des cellules du premier avec un autre prisonnier. Clefs en main, le directeur me fait faire le tour des « chambrées » de l'étage.

Toujours le même décor: des peintures qui s'écaillent, deux matelas posés sur des sommiers métalliques; une table en bois. Un lavabo, un w.-c. et un haut-parleur avec la radio. Les deux jeunes gens, qui fument, se lèvent à notre entrée.

— Tiens! Te revoilà? dit le directeur en s'adressant à l'un d'entre eux. Toujours fumeur? Mais tu n'étais donc pas bien à Savigny?

— Si, M'sieur. Mais c'est pas marrant. Ils veulent me faire apprendre un métier que j'aime pas. Je préfère rester ici pour purger ma peine.

C'est la classe pour certains et l'atelier pour d'autres. Le soir, ils auront droit à la télévision, qui sera suivie d'entretiens avec les éducateurs.

Le dimanche, on fait descendre une grande toile au fond du hall pour une séance de cinéma.

Mais on ne supprimera pas les éléments déprimants du décor pour ces prisonniers à peine sortis de l'enfance et dont l'avenir ne doit pas être définitivement compromis.

HUGUETTE DEBAISIEUX

32 LES BIDONVILLES

Avec une terrible monotonie, nous parviennent à chaque début d'hiver des appels de détresse venus des bidonvilles de la région parisienne où s'abritent essentiellement des travailleurs étrangers et leurs familles, venus faire chez nous des travaux pour lesquels on ne trouve plus de main-d'œuvre en France. Dans le courant de l'année, ces ouvriers s'accoutument tant bien que mal à la précarité de ces « logements », d'autant plus que le salaire touché est largement supérieur à celui qu'ils pouvaient espérer dans leur pays natal. Mais l'hiver vient frapper dans les bidonvilles avec brutalité.

Nous avons relaté le 7 janvier dernier la dramatique situation des six cents familles avec deux mille enfants de la « Campa », ce bidonville de La Courneuve, situé sur un terrain inondé, à la dérive sur un océan de boue. Les ordures ménagères restent sur place, car les camions-bennes ne peuvent plus passer sur le sol détrempé. Plus grave encore, les livraisons de charbon ne peuvent plus s'effectuer.

Le froid et la neige ont encore aggravé la situation. La seule fontaine – pour 3.000 habitants – est maintenant gelée et il faut aller chercher l'eau à 800 mètres.

Un certain nombre d'enfants malades sont déjà hospitalisés.

Les habitants – et l'association « aide à toute détresse » qui a placé des assistantes dans ce camp – demandent que soient prises des mesures d'urgence fort simples: drainage des eaux, établissement de points d'eau, postes de secours d'incendie, remblayage des chemins, éclairage du terrain, extension du service social et éducatif. Ces modestes demandes se sont jusqu'ici heurtées au silence: on ne veut pas consolider le camp, car un jour, ici, sera aménagé le parc de La Courneuve...

En fait, personne ne demande que soient construits « en dur » des logements sur cet emplacement réservé. Mais il s'agit simplement, en attendant que ces familles soient un jour relogées ailleurs, de remédier d'urgence à leur détresse comme on l'a fait avec succès à Champigny. Des crédits existent, qui restent inutilisés. Attendra-t-on qu'une tragédie se produise pour agir trop tard?

DENIS PÉRIER-DAVILLE

33 LES ETUDIANTS TRAVAILLENT PLUS QU'ON NE LE DIT, A PARIS SURTOUT

« *Contrairement à une tradition bien établie, les étudiants ne vivent pas en parasites dans les bars et les salles de cinéma!* » Telle est la conclusion d'une thèse de doctorat de troisième cycle en sociologie sur « *l'emploi du temps des étudiants* », présentée à la faculté des lettres de Dijon.

Ce document de près de 400 pages a demandé trois années de travail à son auteur, le R.P. d'Houtaud, un dominicain qui est aumônier de cette faculté dijonnaise: c'est la synthèse d'une enquête effectuée en 1964 auprès de 170 étudiants littéraires de sept villes: Paris, Lille, Bordeaux, Toulouse, Caen, Dijon et Lyon.

C'est le Centre de Sociologie Européenne qui a eu l'initiative de cette étude, mais les étudiants l'ont réalisée sur eux-mêmes: parmi les étudiants en lettres, les « sociologues » sont ceux qui disposent du plus grand nombre d'heures de liberté. Ils ont calculé leur emploi du temps hebdomadaire à cinq minutes près, y compris les temps morts... comme celui qui s'écoule à la bibliothèque entre la remise du bulletin et la réception de l'ouvrage, ou celui de l'attente d'un bus pour se rendre à la faculté.

Les conclusions d'une première enquête figurent en préambule de cette thèse. Effectuée en 1963 par le même auteur sur l'emploi du

temps des étudiants, elle portait sur un échantillon plus réduit: 63 Dijonnais. Les deux résultats concordent et permettent de dégager des faits qui ont valeur générale. L'application de la réforme de l'enseignement supérieur ne peut, par rapport à l'année d'enquête (1963–1964), que renforcer ces constatations: le temps de présence des étudiants à la faculté est aujourd'hui plus important.

Nous apprenons ainsi qu'un étudiant travaille quarante heures par semaine. Dans ce total, quinze heures sont prises par les cours et vingt-cinq par le travail personnel (révision des notes, résumés) qui réclame des efforts particuliers. Les étudiants en lettres, estime l'auteur, doivent ajouter dix heures d'activités culturelles, complément indispensable de leur enseignement. On arrive alors à cinquante heures par semaine.

En outre, 40% des étudiants font un travail extra-universitaire rémunéré, douze heures le plus souvent, plus de trente heures pour quelques-uns. Cependant, les étudiants ne travaillent pas tous autant: neuf indiquent 69 heures hebdomadaires, soit 11 h. 30 par jour (le dimanche étant réservé au repos). En revanche, onze mentionnent 23 heures seulement, soit... 4 heures par jour.

Les étudiants parisiens travaillent plus que leurs camarades de province... et dorment plus. Contrairement aux idées reçues sur la vie estudiantine dans la capitale, ils consacrent moins de temps aux loisirs que les étudiants de province. Lille est la ville où les étudiants exerçant un travail rémunéré sont les plus nombreux.

Quelles sont les activités culturelles préférées des étudiants? Selon la thèse du R.P. d'Houtaud, la lecture vient en tête (80 %), puis

... Et c'est à cinq minutes de l'Etoile à vol d'oiseau.

le cinéma (55 %), suivi de près par la musique (47 %). 11 % seulement vont au théâtre et 7 % dans les musées et expositions. Ce sont les Parisiens qui lisent le plus, mais les provinciaux fréquentent le plus le cinéma. Les sorties le soir intéressent peu les étudiants (25 %), ils préfèrent les promenades (42 %). Le sport est peu prisé (22 %).

Autres remarques: les filles dorment plus que les garçons et... les étudiants de l'enseignement public plus que ceux de l'enseignement privé.

Conclusion: l'auteur, lui non plus, n'a pas perdu son temps.

JACQUES MALLÉCOT

34 LES CHIENS-GUIDES D'AVEUGLES

Au détour d'une petite route qui serpente dans la vallée de la Bevera, des aboiements répercutés aux échos de la montagne nous accueillent. Nous sommes à l'école de dressage des chiens-guides d'aveugles, montée par les « Lions' clubs » du Sud-Est.

Au milieu de prairies transformées en parcours de dressage, cette ferme sans style mais qui ne dépare pas le paysage, c'est aujourd'hui l'habitation des dresseurs. Plus loin, une construction nouvelle: le chenil, où vingt boxes ont été aménagés.

M. Gérard Bridier, chef dresseur, nous présente ses pensionnaires: quatorze bêtes de races diverses, mais où les bergers allemands sont en majorité. L'image classique du caniche de l'aveugle surnage dans notre mémoire. Mais c'est en vain que nous la chercherions ici.

« *Les caniches sont des chiens beaucoup trop « joyeux » pour devenir des guides parfaits* nous dit M. Bridier. *On leur préfère des bergers allemands, parfois même des bâtards souvent plus intelligents que les chiens de race.* »

Après avoir fait le tour du chenil, nous savons que sur ses occupants six seulement sont dressables. Il en est de trop nerveux, de trop agressifs, de trop craintifs; d'autres que nul dressage ne pourra rendre obéissants. Bref, les chiens sélectionnés sont des oiseaux rares.

Pour « Georges » et « Orlie », le dressage va s'achever comme une partie de plaisir. Le premier, un bâtard aux longues oreilles pendantes, au regard profond et tendre de brave homme, est croisé d'un berger allemand et d'un lévrier; la seconde est un berger allemand. Tous deux sont âgés de 24 mois. On leur fait endosser un harnais spécial, et les voici qui s'engagent sur les pistes, entraînant M. Bridier et son adjoint, M. Michelagnoli. Ils marchent d'un pas décidé, frayant le chemin sans trop tirer sur le harnais. Un apprentissage de cinq mois les a rendus parfaitement aptes à se diriger, même parmi la foule.

Mais les vrais ennuis commencent avec les trottoirs, les encombrements, les traversées de chaussées, parmi la circulation des villes.

Pour leur apprendre à guider les aveugles au milieu de ces difficultés, les chiens sont amenés devant une passerelle où accède un escalier. Un temps d'arrêt. Avant de franchir la première marche, le dresseur saisit une patte de la bête et en frappe son soulier. Maintes fois répété, ce mouvement passera à l'état de réflexe et, de lui-même, l'animal le reproduira pour avertir l'aveugle des obstacles qui se présenteront: descente ou montée de trottoir ou d'escalier. Sur la passerelle, les chiens avancent sans hésiter, montrant qu'ils n'ont pas peur du vide et qu'ils ne feront courir aucun danger aux aveugles sur des trajets accidentés.

Tandis que se poursuivent ces épreuves, arrivent les deux aveugles de guerre dont Georges et Orlie seront les guides. Depuis le 1er novembre, à Sospel, ils ont eu le temps de s'habituer à leur compagnon à quatre pattes. Car il est évident que les aveugles, eux aussi, doivent subir un entraînement et, dans cette émouvante solidarité de la bête et de l'homme, comprendre les intentions et les messages de leur mentor. M. Thepault, 58 ans, habitant Huelgoat (Finistère) continue d'exercer sa profession de boucher avec une sûreté de main que pourraient lui envier ses confrères; c'est Orlie qui l'accompagnera en Bretagne.

L'autre aveugle, M. Dubarry, est âgé de 33 ans. Il a été frappé de cécité à vingt ans, durant les opérations du Tonkin. Il habite Housserat (Vosges), où il emmènera son chien Georges.

Les dresseurs décident de continuer les séances d'entraînement en ville. Quelques minutes d'auto… Nous sommes à Sospel à l'heure où la circulation des voitures et les allées et venues des passants donnent à cette petite cité des apparences d'une grande ville. Conduits par leur chien, les aveugles se fraient aisément un passage parmi la foule des gens pressés. Suggérant à leur guide par une petite traction sur le harnais qu'ils veulent traverser une rue, les chiens s'arrêtent devant un passage clouté. Ils attendent que le bruit des voitures fasse trêve et tapant de la patte sur les souliers, ils indiquent à leur maître que le moment est venu de descendre du trottoir et de s'engager sur la chaussée. Leur apprentissage est si complet qu'ils savent reconnaître les feux rouges et verts, non par les couleurs, mais par leur emplacement sur les sémaphores.

Le secrétaire général de cette œuvre, M. Claude Chemla, past-président des « Lions' Clubs » de Roquebrune, nous assure qu'il a trouvé tous les concours nécessaires, tant matériels que moraux, grâce auxquels a été réalisé l'achat de la ferme de Sospel et de ses dix mille mètres carrés de terrain. Quand les installations seront parachevées, les aveugles, dans leur période d'entraînement, pourront loger à l'école même, la première du genre en France.

RENÉ ROUSSEAU

7 Les Routes

35 LES JEUNES GENS SONT-ILS DES CONDUCTEURS DANGEREUX?

Le parquet de la Seine a fait écrouer ces derniers jours à vingt-quatre heures d'intervalle, deux garçons de 20 ans pour homicide involontaire, à la suite d'accidents de la circulation.

« La presse devrait accorder une plus large publicité à ces mesures répressives, nous disait à ce sujet un magistrat parisien, d'abord parce que la peur du gendarme peut être le commencement de la sagesse, mais aussi parce que ces jeunes gens commettent toujours des fautes très voisines pour ne pas dire identiques. Les jeunes manquent d'expérience en matière de conduite automobile comme sur tous les autres chapitres de la vie courante, il faut donc leur fournir des explications sur les dangers que l'on court en prenant un volant entre les mains. »

Un chef de contentieux spécialisé dans les accidents de la circulation confirme ce point de vue.

« C'est absolument vrai, nous dit-il. Il faut éduquer les jeunes sur les problèmes de la circulation. Bien sûr on se heurtera toujours aux irréductibles qui ne veulent rien apprendre que par eux-mêmes. Mais beaucoup de braves garçons sauraient retenir ce que l'on se donnerait la peine de souligner à leurs yeux.

« A mon avis, le premier point sur lequel il faudrait particulièrement insister concerne la soudaineté terrifiante avec laquelle se produit un accident. Aussi bons que soient les réflexes d'un conducteur, il n'est pas toujours possible d'y échapper, lorsqu'il a dépassé une vitesse raisonnable par rapport aux circonstances. L'imprévisible peut toujours se présenter: l'imprévisible, c'est le piéton ou le cycliste qui fait mine de laisser passer le véhicule, puis se reprend et se jette devant les roues de la voiture; l'imprévisible c'est le camion couché en travers de la chaussée après un virage.

« La seconde chose à apprendre à tous les usagers d'ailleurs, mais en particulier aux jeunes gens, car ceux-ci sont plus insouciants encore à ce sujet, c'est qu'il est essentiel pour éviter les accidents d'avoir un véhicule dont les organes de sécurité soient en parfait état. »

« L'attrait exercé par la vitesse sur les jeunes, constate un sociologue, ne réside pas que dans la griserie qu'il éprouve. Il y a certes le plaisir de conduire, mais un jeune garçon, en roulant vite, cherche aussi à s'éprouver, à s'endurcir, à constater qu'il n'a pas peur. »

Toutes ces remarques méritent d'être méditées. Aussi avait-on imaginé de limiter la vitesse des conducteurs néophytes à 80 kilomètres. Mais était-ce porter remède à l'ensemble de la situation? En effet, deux jeunes gens incarcérés par le tribunal de la Seine tout dernièrement roulaient à une allure inférieure lorsqu'ils ont écrasé des piétons sur des passages cloutés.

Aussi le problème présente-t-il une autre face. Le danger est déjà latent lorsqu'un jeune garçon fait le choix d'une voiture. Son acquisition se portera bien souvent par préférence sur un véhicule clinquant d'apparence et nerveux, mais qui se trouve en fait en piteux état. Pour le même prix, il pourrait s'offrir une 2 CV,[1] avec de meilleures garanties de sécurité. Il fait fi de cette dernière et opte pour la conduite sportive... fût-ce sans freins et avec une voiture équipée de pneus usés jusqu'à la corde.

Dans les bazars il est interdit de vendre des jouets dangereux aux enfants mineurs non accompagnés. Dans les garages, ceux-ci peuvent acheter n'importe quel véhicule.

HUBERT-EMMANUEL

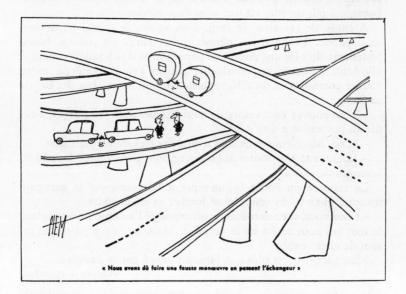

« Nous avons dû faire une fausse manœuvre en passant l'échangeur »

36 QUESTIONS DE LANGAGE: STOP!

L'anglicisme le plus exécré des automobilistes français est, sans conteste, le mot *stop*. Ce mot anglais les défie tous avec ses majuscules

1 2 CV—Citroën 2 chevaux.

en jaune impunément couchées sur la chaussée. Si pressé que tu sois, chauffeur, stoppe... ou c'est le procès-verbal.

L'anglais *stop* a donné le verbe français *stopper* (arrêter) employé dans notre langue, dès 1847, par les *Annales maritimes*.

Son succès comme interjection lui vient de ce qu'il est bref, rapide et péremptoire. C'est ainsi qu'il est passé du vocabulaire de la flotte à celui de la police de la route et que, non content de joncher nos carrefours, il ponctue aussi nos télégrammes. « *Amende encourue pour avoir brûlé stop. Stop.* »

Combien d'automobilistes voudraient pouvoir l'écraser, ce *stop* gêneur sous leurs quatre roues! J'en connais qui, pour l'avoir rencontré trop souvent (il fait tomber leur moyenne et il les met en retard), sont devenus les ennemis acharnés du franglais. A bas le stop! Quel besoin avaient les piétons français d'un mot anglais pour leur sécurité! D'autant que le verbe anglais stopper[1] a un homonyme dans le langage des couturières et des tailleurs: le verbe stopper qui vient du néerlandais *stoppen* « boucher », « obturer », d'où le vieux verbe français *restauper*, conjugué en Flandre au début du XVIIIe s. avec le sens de « refaire maille à maille une partie d'étoffe ». Nouvelle source d'embarras et d'équivoques: une stoppeuse qui fait du stop est une stoppeuse autostoppeuse...

A cause de ces abus de stop, mon voisin, le garagiste, devient anglophobe. Le hasard a permis qu'un client de passage laissât justement chez lui une Austin en panne; mais il la boudait comme si elle était, la pauvre, responsable de tous nos « stops », ceux du réseau routier comme ceux du télégraphiste, comme aussi ceux des bas de sa femme.

– Vous pouvez vous vanter de nous fatiguer avec vos « stop », a-t-il dit au propriétaire de l'Austin.

– Mais, Monsieur, nous n'en avons pas en Grande-Bretagne.

– Comment! Vos routes anglaises ne sont pas, comme les nôtres, bourrées de « stop »?

La réponse du client britannique a fait sursauter le garagiste français. Il en a, du coup, laissé tomber sa clé anglaise.

– Chez nous, sur nos routes, avait expliqué l'automobiliste anglais, le mot qui nous arrête est le mot *halt*. Mais, au fait, n'est-ce pas un mot de chez vous?

Mon garagiste est plus que jamais écœuré par le franglais.

FERNAND FEUGÈRE

1 les Anglais ont aussi « stop » dans le sens d'obturer: « to stop a tooth » (plomber une dent)

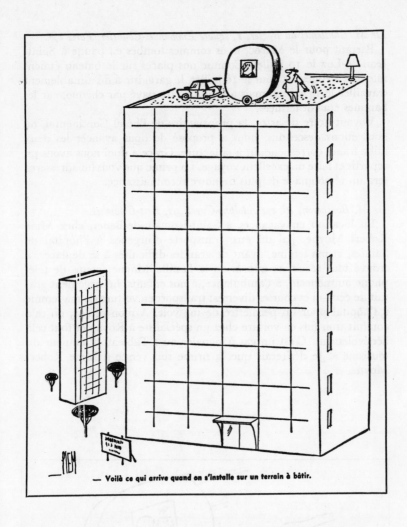

— Voilà ce qui arrive quand on s'installe sur un terrain à bâtir.

37 AU TABLEAU D'HONNEUR DU TOURISME

De Mlle F. Nicolle, 98, rue de Rennes, Paris-6e.

J'avais roulé durant trois heures sous une pluie battante, en cyclomoteur, cherchant pendant quarante kilomètres une chambre dans un hôtel. Mais tout était plein et j'étais trempée. Finalement, j'arrivais à Ares (Gironde) à bout de force et claquant des dents. A l'hôtel de Hippocampe, la patronne, très gentille, mit mes vêtements dégoulinants à sécher à la cuisine, et comme je voulais repartir lorsqu'elle m'eut dit le prix de la chambre, elle me fit un prix de 12 F au lieu de 16 F et en plus ne me fit pas payer le petit déjeuner le lendemain matin. Je demande que la prime lui soit versée.

De M. Challemel du Rozier, 1, square Emmanuel-Chabrier, Paris 17ᵉ.

Partant pour le Maroc, nous sommes tombés en panne à Saint-Jean-de-Luz le 10 juillet. Comme nos places sur le bateau étaient retenues à Algésiras pour le 16 juillet, le garagiste a dû aimablement travailler le 14 juillet, mais a refusé d'être payé par chèque, car les banques étaient fermées.

Voyant notre désarroi, la propriétaire de l'hôtel Continental, où nous étions descendus, nous a proposé de nous avancer les deux mille francs correspondant à la facture. Grâce à quoi nous avons pu repartir et faire un excellent voyage. La prime que vous lui adresserez sera un témoignage de plus de notre reconnaissance.

De M. Boucheron, 16, rue Adolphe-Guyot, 92, Bois-Colombes.

En location en vacances à Saint-Romain-de-Benet, chez Mme Robert Moyne, j'ai dû être transporté d'urgence à l'hôpital de Saintes, et ma femme, ayant de grandes difficultés à se déplacer, a trouvé tout réconfort auprès de la famille Moyne: coups de téléphone au médecin, à l'ambulance, à nos enfants, hébergement gratuit de ceux-ci et courses diverses; transport en voiture de ma femme à l'hôpital pour lui permettre de me voir. A mon retour, on m'a conduit trois fois en voiture chez un spécialiste à Royan et tout cela bénévolement. C'est un cas à signaler au « Tableau d'honneur du tourisme ». Je désirerais que la prime soit versée à Mme Robert Moyne.

— On est en train de se faire doubler par les enfants.

38 UN DANGER: LA FATIGUE AU VOLANT

La fatigue au volant: il est bien difficile de définir le seuil à partir duquel elle devient dangereuse pour la sécurité routière. La constitution du conducteur, son hygiène, sa discipline de vie, son entraînement, son âge sont les éléments mêmes de la résistance. Cela, c'est affaire de médecine.

Mais comment agir sur les conditions extérieures qui peuvent, à résistance égale, retarder ou avancer l'apparition de la fatigue.

On peut d'abord s'asseoir confortablement, ce qui n'est pas le cas général, contrairement à ce que l'on pourrait penser. S'asseoir confortablement, cela veut dire suffisamment loin du volant et des pédales pour avoir les muscles détendus, suffisamment près pour atteindre les commandes sans plonger en avant, et suffisamment haut pour ne pas se tordre le cou en essayant de voir – mal. Si l'on est de taille hors de la moyenne, il faudrait faire modifier un siège dont les réglages extrêmes ne permettraient pas de trouver une position convenable, par exemple, pour ceux ou celles qui sont petits, faire mettre des cales en bois, si possible, sous le siège. C'est beaucoup mieux qu'un coussin, sur lequel on roule, et qui diminue la hauteur du dossier, déjà trop souvent insuffisante.

Lors des arrêts à la pompe à essence, que l'on multipliera pour se distraire de la tension routière, en faisant le plein dès que la jauge est à moitié ou au quart, on descendra toujours de la voiture pour trois raisons: détente musculaire, oxygénation, mais aussi, accessoirement, surveillance du pompiste. (Vérifier toujours avec lui la remise en place du bouchon de réservoir, de la jauge à huile, etc.)

Comme dans un sport, l'entraînement compte pour la conduite automobile. Au début d'un voyage de plusieurs jours, au début de la saison touristique, il vaut mieux être modeste dans ses prévisions.

Ce conseil est très facile à donner et, cependant, je n'ai jamais réussi à le suivre moi-même. Malgré une longue conduite, il m'arrive encore de m'infliger à moi-même, un Paris-Monte-Carlo, Paris-Milan, Paris-Turin « à froid ». Paradoxalement, c'est moins fatigant en hiver qu'en été, à cause de la circulation. En tout cas, couvrir le plus possible de kilomètres le matin ou la nuit (si l'on aime rouler la nuit), car l'après-midi, que nous avons tendance à considérer comme long, semble passer plus vite que la distance.

Comme dans un sport aussi, il faut partir et arriver lentement. Il y a une mise en train salutaire aussi bien pour l'homme que pour la machine. Ce n'est pas parce que l'on a 700 kilomètres à parcourir qu'il faut être impatient au premier feu rouge rencontré et bondir au premier feu vert. Au contraire, prenons notre temps au départ. De même, à l'arrivée, on « rend la main » et l'on ralentit dans les derniers kilomètres.

A mon avis – mais ici les goûts personnels doivent jouer – lorsqu'on utilise les très grands axes sur de longs parcours, il vaut mieux ne pas hésiter à s'en écarter d'une bonne dizaine de kilomètres pour prendre ses repas. L'atmosphère d'un authentique « bistrot de campagne » est beaucoup plus reposante que celle d'une auberge de grande nationale, et souvent la nourriture y est plus typique, régionale.

DIDIER MERLIN

39 LA BICYCLETTE

L'union nationale des deux-roues pousse un cri d'alarme. Elle déplore *« un réel mépris à l'égard de la bicyclette, d'où une certaine carence pour protéger son usage et pour mettre fin à l'anxiété grandissante des mères de famille vis-à-vis des jeunes, des adultes ou des anciens qui se servent de ce mode de locomotion par nécessité, par hygiène ou par conviction pour leurs déplacements de travail ou de loisir »*. Elle me prie, ainsi que ses autres *adeptes convaincus*, d'exprimer mon opinion sur un *Livre d'or de la bicyclette* que l'on remettra aux pouvoirs publics et à la presse.

La bicyclette, aujourd'hui ravalée au rang de l'âne des transports, est une des plus extraordinaires inventions humaines. Elle est le seul mode de locomotion qui permet à l'homme d'être son propre moteur. Assis entre ses deux roues comme entre deux planètes, le cycliste prend conscience de sa force en mesurant ses limites. Il va beaucoup plus vite que le piéton. Mais il ne peut pas en concevoir de l'orgueil ni se griser de sa liberté. Il paie de sa sueur toute accélération de vitesse, toute extension de son parcours.

A l'âge d'or de la bicyclette, les médecins et les journaux la considéraient comme une panacée. Elle activait la respiration. Elle oxygénait le sang. Elle développait les muscles. Elle terrassait la tuberculose. Elle encourageait l'esprit d'entreprise.

Les chefs-d'œuvre et les vins révèlent leurs vertus en vieillissant. Il en est de même de la bicyclette. Elle apparaît aujourd'hui comme l'antidote moral de l'automobile. La bicyclette est une des rares inventions qui ne servent qu'au bien. Il n'en est pas de même de l'aviation, qui sert la guerre, ni de l'automobile, qui enfanta le blindé. L'automobile développe la démesure, que les Grecs considéraient comme le péché mortel capital et que les dieux punissaient de mort. Elle fait des tyrans, esclaves de leur passion de dominer, qui écrasent les autres. Elle élève sur le trône de la vitesse les plus faibles, qui se vengent de leur impuissance en disposant d'une force mécanique sans commune mesure avec leur infirmité. Comme au temps d'Eschyle les dieux punissent ces despotes. Sur les routes, transformées en champs de bataille, ils deviennent des milliers de morts.

Les pouvoirs publics se déclarent désarmés. Que ne se tournent-ils vers la bicyclette? Face aux Hitler de l'automobile, elle fait des hommes libres. Elle exerce l'humilité autant que les mollets. Elle donne à l'homme le sens du possible et du mérite en lui faisant payer chaque victoire d'un surcroît d'effort. Face à la civilisation mécanique, génératrice de robots, elle stimule l'initiative. L'automobile encourage l'apathie musculaire. Elle transforme ses adeptes en hommes-troncs transportés, à la vitesse de l'éclair, sur des chars de guerre qui sèment la mort. La bicyclette exerce les muscles et fabrique des hommes forts, équilibrés et sages, comme tous ceux qui possèdent la vraie force.

A toutes ces vertus il s'en ajoute une autre, qui devrait faire dresser l'oreille aux pouvoirs publics. « *S'il advenait que certains cyclistes se découragent et se servent d'un véhicule à quatre roues, la circulation et le stationnement dans toutes les villes et sur toutes les routes deviendraient assurément encore plus difficiles* », déclare l'Union nationale des deux-roues.

Aux embouteillages causés par l'automobile, qui frapperont bientôt nos villes de paralysie totale, la bicyclette apporte son remède. Circulez à bicyclette: vous renforcerez votre santé et vous rendrez à la circulation sa fluidité, tout en supprimant la pollution atmosphérique, due en grande partie aux gaz d'échappement des moteurs et qui rendront bientôt la vie impossible dans les grandes villes.

L'humble bicyclette se venge aussi, comme récemment à New York, dans tout autre cas de paralysie de la civilisation mécanique, notamment pendant les grèves des transports. Considérée comme la panacée de la Belle Epoque, elle sera, si on veut la comprendre, celle du siècle de l'atome.

PAUL GUTH

40 LE TRIBUNAL DE LA ROUTE

Plus de pitié pour les assassins de la route. Ceux dont les fautes contre le code constituent autant de crimes contre la vie d'autrui sont désormais passibles d'un véritable « tribunal révolutionnaire » qui les juge sur les lieux mêmes de leurs tristes exploits.

Siégeant au bord des grandes voies de communications, aux endroits les plus dangereux, des commissions spéciales prononcent la suspension immédiate du permis de conduire de tout automobiliste pris en flagrant délit d'infraction grave (franchissement de ligne jaune, dépassement en haut de côte ou en virage, non respect d'un « stop », par exemple...). S'il n'est pas accompagné d'un passager titulaire de la précieuse carte rose, le coupable doit abandonner sur place sa voiture et atteindre le terme du voyage comme bon lui semble...

A une cinquantaine de kilomètres au sud de Moulins, sur la Nationale 6, j'ai assisté à la mésaventure du premier conducteur ayant subi les foudres de la nouvelle réglementation: un jeune agent technico-commercial de Grenoble, qui rentrait de vacances.

Une voiture-piège l'avait surpris franchissant une ligne jaune pour doubler. Son permis retiré sur le champ – et pour cet imprudent c'était un outil de travail – il a dû laisser son break « Ami 6 » sur le bas – côté de la route et s'en aller pédestrement, ses valises à la main, vers le premier garage, en attendant de gagner la gare la plus proche.

Croyez-moi, ce n'est pas drôle. Puissent cet exemple et ceux qui suivront servir de leçon à tous les chauffards. C'est le but recherché. Le bilan des derniers week-ends l'atteste: les fous du volant font de plus en plus de victimes. Il est des situations où la justice expéditive et rigoureuse apparaît comme le suprême recours.

Pour lancer cette opération « stop aux criminels motorisés » son promoteur, le préfet de l'Allier, a choisi un des tronçons les plus meurtriers de la route bleue: les vingt-trois kilomètres qui séparent Varennes de Lapalisse. Sur cette courte distance, on a enregistré six morts et une quarantaine de blessés depuis 1er juillet. Préfet aux champs[1] – mais qui ne peut guère avoir en de telles circonstances l'humeur poétique – M. Jacques Bruneau a installé son « tribunal révolutionnaire » en bordure du petit aérodrome de Lapalisse-Périgny, derrière un hangar. A ses côtés siègent le commandant de gendarmerie, le directeur du service des Mines et le délégué de la Prévention routière, représentant les usagers.

A quelques mètres, c'est le P.C.[2] opérationnel des gendarmes et des C.R.S.[3] qui mènent cette chasse aux chauffards. Bourdonnement des hélicoptères, appels radio des motards et des voitures-pièges qui sillonnent sans cesse le tronçon-test. Soudain, un appel répété:

– *Allo, Iroquois!... Ici Dragon... Attention, un break « Ami 6 » immatriculé 38, vient de doubler en position dangereuse. Nous l'interceptons...*

Voici le premier contrevenant. Il ne sera pas le seul, hélas! En quelques minutes, encadré de motards, il est amené au P.C., et l'officier de police, qui se trouvait à bord de la voiture-piège ayant constaté l'infraction, lui dresse procès-verbal en bonne et due forme. Puis c'est la comparution instantanée devant l'aréopage préfectoral. Le coupable pâlit légèrement à la vue de la pancarte: « Commission départementale de suspension immédiate du permis de conduire ».

Le préfet lit une déclaration liminaire qui affirme notamment:

L'an dernier, les fous du volant ont tué sur les routes de France 12.500 personnes et en ont blessé plus de trois cent mille, dont beaucoup resteront handicapés physiques jusqu'à la fin de leurs jours. Le « week-end » dernier, il y eu cent soixante-sept tués et près de cinq mille blessés. Lorsqu'il y a tentative d'assassinat, on essaye de désarmer l'assassin. Sur la route, désarmer le fou de la route, c'est lui retirer son arme, c'est-à-dire lui retirer son permis de conduire pour protéger les innocents.

1 « Le Sous-Préfet aux Champs » (*Lettres de Mon Moulin* d'Alphonse Daudet).
2 Poste Central.
3 Compagnies Républicaines de Sécurité.

La législation prévoyait que, lorsque l'infraction était constatée, le délinquant était traduit plusieurs semaines plus tard devant la commission de retrait des permis de conduire. Devant la recrudescence des accidents, les ministres de l'Intérieur et de l'Equipement ont donné aux préfets l'ordre d'appliquer une nouvelle réglementation. Elle permet, sur le champ, en flagrant délit, de retirer le permis de conduire à celui qui a mis en danger de mort ses concitoyens.

Ne croyez pas, cependant, qu'il suffira d'éviter les routes de l'Allier pour ne pas subir la rigueur de la loi, car dans tous les départements de France la nouvelle réglementation répressive entre en rigueur. Il s'agit de sauver des vies humaines innocentes, et nous le ferons.

Entre l'automobiliste pris en faute et ses « justiciers » s'engage alors un dialogue aussi lourd que bref:

– Vous avez doublé dans un passage mortel. Vous êtes un danger public. Votre permis vous est retiré pour deux mois. Vous serez convoqué le 25 août devant la commission de retrait qui statuera définitivement sur votre sort.

– Je reconnais mon erreur, mais elle n'est pas si grave que cela. J'avais une visibilité suffisante...

– Tous les automobilistes en infraction disent cela. Quand l'accident est provoqué, il est trop tard.

– Mais qu'est-ce que je vais devenir? Je rentre de vacances et je dois reprendre mon travail lundi. En outre, le permis m'est indispensable pour exercer ma profession.

– Nous ne voulons pas le savoir. Une autre fois, vous ferez attention. Que cela vous fasse réfléchir, vous et vos semblables...

Une leçon très sévère, mais nécessaire. L'exemple de Lapalisse mérite d'être médité par tous les automobilistes. Cependant, il faut y ajouter le rappel d'une vérité du même nom: la solution fondamentale du problème de la sécurité routière réside dans la construction de routes et d'autoroutes.

GÉRARD MARIN

8 Les Jeunes

41 LES POURBOIRES DE MON FILS

Voici les vacances, voici venir l'heureuse saison qui ronge les
budgets familiaux. La bourgeoisie se ruine en vacances, et n'entend
rien céder de ce privilège. Tennis, équitation, bateau, clubs,
restaurants, sorties du soir, jusqu'au golf qui s'embourgeoise, et tous
ces verres à boire avec tant d'amis... Une bonne nouvelle, cependant:
il paraît que mon fils, cette année, ne me coûtera pas grand-chose.
Il a seize ans: je craignais le pire! Eh bien non! Il a tout prévu: depuis
la fermeture du lycée, il entasse les pourboires. Il est ravi. Il revient
dégoûtant tous les soirs, ayant occupé ses journées à monter des
pneus dans un garage. Il retourne ses poches, avec la mine gour-
mande du monsieur malin qui vient de dépasser le fameux cap du
premier million.

En fait, mon fils tend la main. Lui prétend que c'est le client qui
tend la main, avec quelque chose de palpable au bout des doigts
généreux. Il ne fait qu'accepter. Il remercie. Je l'ai bien élevé: il est
poli. Il me l'a raconté sans gêne, alors que j'étais un peu gêné. Il a
bien voulu pardonner toutes ces traditions héritées qui m'encom-
brent encore. Et j'ai compris qu'il avait raison.

On a beaucoup débattu de l'immoralité des pourboires. On a cité
en exemple ces nations vertueuses où la main ne doit se tendre que le
poing fermé. J'ai moi-même parcouru quelques cantons du monde
où le pourboire se refuse comme une insulte. Et tous les deux ou trois
ans, rituellement, notre vieux pays condamne à la guillotine le brave
bonhomme français avec sa main tendue. Il le gracie bien vite...
Chacun connaît le cycle-type du coiffeur: pourboire compris, pourboire non compris, pourboire compris, etc. Enfermés à l'intérieur de
tant de cycles semblables, combien de fois, en une seule journée,
devons-nous mettre la main à la poche, en face d'autres mains qui
attendent discrètement! Car on est discret. Deux cents corporations
estimables acceptent l'argent que l'on tend, mais il y faut des façons.
On ne doit plus dire: « Prenez, mon ami, pour boire à ma santé »,
sous peine de se faire jeter son pourboire à la figure. Le pourboire ne
sert plus à boire ou à manger, tout simplement. Il s'est anobli, car il
sert à s'enrichir. Il procure le superflu. C'est l'échelon de base d'une
nouvelle échelle sociale. Et piétinent, au bas de cette échelle, les
gens qui ne tendent pas la main!

Le pourboire prend toutes les formes. Il peut s'étendre à tous.
C'est une question de vocabulaire: service, pourcentage, ristourne,

gratification, intéressement, cadeau de fin d'année, etc. Dans notre société basée sur le profit, on ne ressent pleinement le bienfait du profit que s'il vient s'ajouter à ce qui est vraiment dû. Tout bien pesé, je suis enchanté que mon fils participe au système. En commençant jeune, par l'essentiel – le supplément en espèces déposé dans la main ouverte – il comprendra mieux que moi le sens et le poids de l'argent qui nous gouverne. Il pourrait en souffrir, au début tout au moins, cela me plairait. Mais non, il n'en souffre pas! Il appartient à sa fin de siècle: « Merci bien, m'sieu... » Je n'ose même pas vous dire combien il a gagné. C'est à prendre le S.M.I.G.[1] en pitié et, avec lui, tous ceux qui, mal informés, n'ont pas choisi un métier où l'on est payé deux fois: une fois par le patron, une fois par le client, comme les nouveaux petits seigneurs du pourboire!

Il faut cependant marquer une ultime nuance: les uns travaillent, les autres travaillent *et* se débrouillent. C'est ainsi que notre société reconnaît les siens, les malins, et les convie à ses banquets.

JEAN RASPAIL

— Je ne veux être interrogé qu'en présence de mon avocat.

42 CONGE SCOLAIRE HEBDOMADAIRE LE SAMEDI AU LIEU DU JEUDI?

Dans une question écrite adressée au ministre de l'Education nationale, M. Jean-Charles Lepidi, député U.N.R.[2] de la Seine, expose

1 Salaire Minimum Inter-professionnel Garanti.
2 Union pour la Nouvelle République.

les problèmes créés, dans les grandes agglomérations surpeuplées, par le congé scolaire du jeudi.

« *Dans les grandes agglomérations*, déclare-t-il notamment, *le maintien du congé scolaire du jeudi n'apporte pas le repos, la détente, l'aération nécessaire aux écoliers des villes. En revanche, la majorité des familles bénéficie du repos hebdomadaire du samedi et du dimanche, mais elles s'interdisent souvent l'évasion de la ville parce que le samedi leurs enfants fréquentent l'école.* »

Pour toutes ces raisons, le député de la Seine demande au ministre de l'Education nationale « *s'il ne pourrait pas envisager pour les grandes agglomérations la suppression du congé scolaire le jeudi et son remplacement par celui du samedi ou tout au moins que des essais soient faits dans certains quartiers de Paris* ».

43 VANDALISME A LONDRES

La mort tragique d'une jeune fille de quinze ans, tombée malade en pleine nuit dans la maison paternelle, à Oxford, parce que son père n'a pas pu trouver un seul téléphone qui fonctionne dans le quartier pour appeler à temps un médecin, vient d'attirer l'attention sur un des derniers fléaux qui se sont abattus sur les îles Britanniques.

Un des « amusements nocturnes » des jeunes vandales d'outre-Manche consiste, en effet, à détruire les « boîtes à sous » des appareils téléphoniques publics afin d'en vider le contenu, ou simplement à mettre les appareils hors d'usage et à dévaster les kiosques. Ce « sport » a pris de telles proportions au cours des dernières années que le réseau, dont Londres s'enorgueillissait à juste titre, est sur le point de s'effondrer.

Le vandalisme a pris des proportions tellement effrayantes au cours des dernières années que les P.T.T. britanniques ne savent plus où donner de la tête. D'une part, chaque jour, le nombre de kiosques éventrés est infiniment supérieur à celui que le personnel chargé de la besogne pourrait humainement arriver à réparer pendant le même laps de temps. Une pénurie de pièces de rechange vient, d'autre part, aggraver la situation.

Selon les statistiques les plus optimistes, un tiers des sept mille kiosques modernisés de la région londonienne sont hors d'usage et un sur dix est complètement détruit. Le total des réparations effectuées par les P.T.T. dans le pays entier au cours de l'an dernier s'est élevé à près de trois millions de francs, soit sept cent cinquante mille francs de plus qu'en 1964 et tout indique que les choses iront encore plus mal cette année.

Du moins jusqu'à ce qu'on ait installé partout le système d'alarme grâce auquel 237 malfaiteurs ont été pris en flagrant délit de vol des boîtes à sous (contre 80 au cours de la même période en 1964). Le système est silencieux. Il est relié au poste de police le plus proche. Mais il faudra du temps avant d'en pouvoir installer dans les sept cent soixante-quinze mille kiosques des îles Britanniques.

En attendant, on espère que la sévérité montrée dernièrement par les juges contre les jeunes vandales – quatre verdicts d'emprisonnement allant de six mois à trois ans ont été en effet infligés, hier seulement, à Londres et à Birmingham – leur servira d'avertissement.

DANIEL NORMAN

44 LES JEUNES VONT-ILS AU THEATRE?

A la fin de la représentation donnée dimanche de « Caviar ou lentilles » au théâtre Michel, le public a applaudi avec enthousiasme mais personne ne s'est levé. Pas de claquements de sièges qui se redressent: les spectateurs – tous des jeunes conviés pour une « *générale spéciale vingt ans* » – étaient invités à un débat. Le thème: les jeunes vont-ils au théâtre?

« *Non*, a déclaré aussitôt le représentant de la Maison de jeunes de Cachan. *C'est trop cher. Pour nous qui sommes en banlieue, il faut ajouter au prix de la place les frais de déplacement. Et cet obstacle étant vaincu, il reste que beaucoup de jeunes redoutent une représentation théâtrale: ils ont peur de ne pas bien comprendre et de ne pas savoir en parler d'une façon juste.* » Il aurait donc fallu les familiariser très tôt avec le théâtre: une éducation est nécessaire.

« *Jusqu'à huit ou neuf ans, les enfants voient le théâtre à travers les marionnettes. Et soudain ils sont placés devant des pièces difficiles, en général des classiques: ils sont déroutés, voire rebutés. Certains garderont toute leur vie un mauvais souvenir de leur premier contact avec ce spectacle et seront toujours réticents quand on leur proposera d'assister à une représentation.* » Corneille et Racine sont mis au pilori. En remplacement: des pièces très enlevées, commedia dell'arte, comédies musicales – pièces-pilotes d'éducation théâtrale.

Plus tard seulement les classiques, les pièces sérieuses, mais pas trop: il faut savoir garder un éventail, présenter toutes les formes de théâtre, tous les genres. « *La politique de beaucoup de Maisons de jeunes va à l'encontre de cette conception. Seules ont droit de plateau les pièces considérées comme « éducatives ». Le théâtre de divertissement est écarté. D'où une méfiance des jeunes membres de ces groupements.* »

On se rend au théâtre, pour beaucoup d'éducateurs, non pour se détendre mais pour réfléchir: grands problèmes, grandes situations, grands exemples. Assister à une représentation n'est plus un loisir mais un devoir. Y rire est preuve de légèreté et la pièce qui fait rire n'est pas sérieuse: « *On a suffisamment l'occasion de rire dans la vie pour ne pas avoir besoin de s'amuser au théâtre* », devait dire avec la plus grande conviction un des éducateurs présents. Ce qui a déclenché côté jeune des rires... amers.

Plus que les thèmes de pièces proposés, c'est la mentalité des jeunes spectateurs qu'il faut transformer, semble-t-il. Le cinéma, la télévision suffisent à la plupart d'entre eux comme formes de spectacle. Inventer alors un théâtre à leur intention ne correspondrait à rien. Il n'y a pas de théâtre spécialement destiné à la jeunesse: il y a des jeunes qui devraient avoir envie d'aller au théâtre. C'est ce que le théâtre Michel a voulu démontrer en faisant le premier pas.

JACQUES BUSNEL
JEAN-MARIE TASSET

45 CHEVEUX LONGS

Il paraît que messieurs les proviseurs, censeurs, surveillants généraux viennent de lancer une grande offensive contre ceux de leurs élèves qui se présentent au lycée les cheveux longs. Les uns sont renvoyés chez eux, les autres expédiés au coiffeur. Et M. Johnny Hallyday apporte à MM. les proviseurs le renfort d'une autorité universitaire généralement reconnue. Elle s'est manifestée, avec la promptitude du foudre de Jupiter, sous la forme d'une chanson satirique qui associe les idées courtes aux cheveux longs. Si M. Hallyday n'a pas rétrogradé dans la faveur des moins de vingt ans (mais est-ce sûr?), l'effet devrait en être décisif. Toutefois, comme l'année scolaire touche à sa fin, le choc sera de toute façon amorti par les départs, les examens et les vacances. On ne sera fixé qu'à la rentrée. A ce moment, la mode des cheveux longs aura peut-être rejoint dans l'oubli les fastueux édifices capillaires de l'époque zazou et l'austère coiffure à la romaine qui les remplaça.

En vérité, je me demande pourquoi on mobilise tant de monde contre les garçons qui prétendent se coiffer à leur idée. C'est bien leur droit, après tout. Si l'on n'est pas content d'eux, il est tellement plus simple d'attendre que leur idée change. On dit qu'ils sont ridicules. Est-on jamais ridicule à seize ou dix-sept ans? La jeunesse sauve tout. Et puis, si l'on se met à poursuivre le ridicule, où s'arrêtera-t-on? A quel âge? A quelle situation sociale? A quel degré de comique?

Après tout, les jeunes chevelus ont pour eux bien des exemples historiques. Et des fameux. Et des glorieux. Philippe Auguste, Saint Louis, Philippe le Bel, Charles V portaient les cheveux longs. Quelqu'un osera-t-il passer à la tondeuse ces bons serviteurs du pays et traiter Saint Louis de polisson?

Assurément, ces messieurs ne sont pas d'aujourd'hui, ni même d'hier. C'est pourquoi les défenseurs des jeunes persécutés ont cherché des répondants plus proches de nous. Ils ont trouvé Alfred de Musset, que chacun a pu voir, sur le trottoir du Palais-Royal, statufié avec sa Muse et montrant d'un doigt las le bureau de location du Théâtre-Français. Musset avait les cheveux longs. Or c'est un auteur d'anthologie dont on apprend les vers par cœur, capable en somme de balancer M. Hallyday. On répondra que ce poète était un peu neurasthénique, un peu libertin, un peu ivrogne, et, bien que la sexualité soit aussi très en vogue, ses amours orageuses ne sont pas d'un bon exemple.

Si donc j'avais mon mot à dire, je recommanderais aux jeunes, à titre de totem, d'idole protectrice, un personnage bien mieux vu dans les écoles, l'homme du paratonnerre précisément, Benjamin Franklin. Certes, il était Américain et c'est une mauvaise note. Mais il était Américain en un temps où les Etats-Unis ne portaient ombrage à nul prince européen. Acquittons-le. Lorsqu'il vint en France, en 1776, il jeta sa perruque à la mer et débarqua à Nantes la tête couverte d'un bonnet de fourrure pour laisser à ses cheveux le temps de pousser. Ancien maître d'école, ce patriarche roublard et solennel, tantôt ruisselant de maximes édifiantes, tantôt silencieux avec majesté, serait un parfait patron. On fête le troisième centenaire de l'Académie des sciences: il a assisté ponctuellement à ses séances. Tout Paris voulut le voir, le toucher, l'inviter. Ses cheveux longs parurent une protestation morale contre la vie factice des mondains, un miracle de la simplicité, de la nature toute nue. On parla de retour à la vie primitive. Les dames l'embrassaient dans le cou par amour de la rusticité et pour retrouver l'innocence des anciennes mœurs. Ses cheveux furent une victoire de la philosophie et des lumières. Voilà qui doit l'emporter. Mes amis, coiffez-vous à la Franklin. Les malintentionnés rentreront sous terre. Et si vous trouvez Franklin un peu croulant, comparez-vous, sans le dire, aux princes charmants des ballets, pour qui le cheveu long et blond est de rigueur.

PIERRE GAXOTTE

9 De Tout un Peu...

46 LE TUNNEL SOUS LA MANCHE

Les archives de la Chambre de commerce et d'industrie de Calais possèdent un document imprimé à Bruxelles en 1874 et présentant la coupe longitudinale d'un tunnel sous-marin pour chemin de fer.

C'était, déjà à cette époque, la résurgence d'un projet quasi centenaire. Que dire aujourd'hui!

La différence essentielle est que, depuis 1957, il ne s'agit plus de spéculations plus ou moins hasardées, mais d'une proposition solidement étayée par des arguments économiques, géologiques, financiers, voire politiques.

Personne ne croit plus que la réalisation sera longtemps encore différée et M. Roger Macé, chargé de mission auprès du ministre de l'Equipement, le « Monsieur Tunnel » français, moins que quiconque.

Les deux gouvernements intéressés doivent choisir, avant la fin de l'année, le groupe financier chargé de l'ouvrage. Trois sont en compétition, formés de banquiers britanniques, français, américains et italiens. Quand le choix aura été fait, ce ne sera pas, tout de suite, le début des travaux. On estime, en effet, à un an le temps nécessaire pour l'acquisition des terrains par accord amiable ou par expropriation, et il faudra entre dix-huit mois et deux ans d'études complémentaires avant de forer.

Le premier coup de pic pourrait être donné au début de 1970. Six ans plus tard, le premier train franchirait le Channel à une vitesse de 140 kilomètres à l'heure.

Une nouvelle étape a été franchie la semaine dernière avec la réunion qui groupait à l'hôtel de ville de Calais, autour du député-maire et de M. Macé, les préfets du Nord et du Pas-de-Calais, le directeur régional de l'équipement et le directeur général adjoint de la S.N.C.F. Il s'agissait de délimiter l'étendue de la zone à aménagement différé. En mai dernier la superficie prévue était de 1.150 hectares. Le 13 novembre, elle a été ramenée à 250 dont 100 pour les installations terminales. Les installations de chantier devraient couvrir une quinzaine d'hectares, sensiblement la même surface que pour la construction de l'usine marémotrice de la Rance ou lors de l'aménagement hydro-électrique de la Durance à Curbans.

Le tunnel se présentera sous la forme de trois tubes: deux gros, dans lesquels passeront les trains, un plus petit qui sera la galerie de service. Ces trois tubes seront forés dans la couche crayeuse qui est continue de France en Angleterre sous le détroit. Ils auront une longueur de cinquante kilomètres, dont trente-six sous l'eau.

Les prévisions d'emplois seront, ici, de 300 la première année pour atteindre 1.800 au cours de la quatrième année, 2.000 durant la cinquième et seulement 800 pendant la dernière.

Le recrutement ne pourra être que partiellement local. Le Groupe d'études du tunnel, constitué sous l'égide de la Chambre de commerce et d'industrie de Calais, ne souhaite pas que le pourcentage d'ouvriers recrutés sur place soit trop important. Il voudrait, surtout, que les entreprises ne drainent pas, par priorité, toute la main-d'œuvre agricole de la région. Cela compromettrait gravement, sinon définitivement, les chances d'une modernisation de l'agriculture déjà largement amorcée.

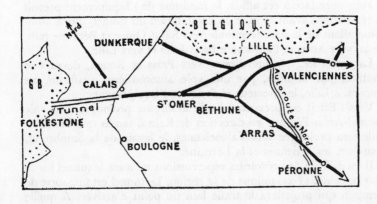

Il ne faudrait pas non plus, en épongeant toutes les disponibilités en main-d'œuvre locale pendant la période de construction de l'ouvrage, compromettre l'activité des industries locales et interdire la venue de nouvelles entreprises attirées par le débouché français du tunnel.

Le tunnel sous la Manche, c'est Paris-Londres en quatre heures par le T.E.E.[1] La S.N.C.F. prévoit que quatre rames de ce type circuleront chaque jour dans les deux sens. Il s'y ajoutera quatre rapides toutes classes effectuant le trajet en quatre heures quarante-cinq minutes.

C'est aussi Bruxelles à trois heures quarante-cinq minutes de Londres par le T.E.E. (trois aller et retour par jour) ou à quatre heures vingt minutes par les trois rapides quotidiens.

Des rames rapides sont aussi prévues vers l'Allemagne, vers Strasbourg et la Suisse.

Le Londres-Paris aura son premier arrêt à Boulogne où seront

1 Trans-Europ Express.

décrochées les voitures directes pour Calais. Le Londres-Bruxelles et les trains vers l'Est, la Suisse et l'Allemagne s'arrêteront à Lille. Certains d'entre eux desserviront Calais-Ville.

Au cours de l'année 1966, dans les cinq ports de la mer du Nord et de la Manche, d'Ostende à Dieppe, il est entré ou sorti 3.080.000 passagers « ordinaires », c'est-à-dire n'ayant pas embarqué avec un véhicule automobile. Durant la même année, les cinq ports et les aéroports du Touquet et de Calais-Marck ont vu transiter 797.000 véhicules accompagnés.

Les études menées par la S.N.C.F. et les chemins de fer britanniques permettent de prévoir que les navettes pourront transporter, en période de pointe, 4.800 véhicules à l'heure, soit plus que le trafic enregistré sur l'autoroute de l'Ouest.

Pour faire face à cet afflux, le ministère de l'Equipement prévoit la réalisation, avant la mise en exploitation du tunnel, d'une autoroute allant de la gare terminale vers Saint-Omer et Béthune puis, de là, vers Arras et l'autoroute Paris-Lille et vers Lille.

La nationale 1, route directe vers Paris et Rouen, devra être doublée, par la suite, par une voie autoroutière, a affirmé ces jours-ci, à Lille, le directeur régional de l'Equipement.

Vers l'Est il est prévu aussi une autoroute prolongeant la voie Tunnel-Arras-Péronne en direction de Reims, tandis que Béthune-Lille sera prolongée vers Valenciennes, le bassin de la Sambre et, peut-être, les Ardennes et la Lorraine.

Il est difficile de prévoir les répercussions qu'aura le tunnel sur le développement économique de la région. Le tunnel est une sorte de tremplin qui projettera le trafic loin du point d'arrivée. A quelle distance? Personne ne peut le dire.

Le débouché du tunnel devrait être une zone privilégiée pour l'implantation d'industries britanniques et de dépôts. Déjà, actuellement, c'est à Calais que semblent s'être installées en plus grand nombre les entreprises d'origine anglaise. Probablement parce que les liaisons entre la maison-mère et la filiale sont plus rapides. Peut-être, aussi, pour des raisons sentimentales et historiques.

Il faut penser à une autre activité économique: le tourisme. Le chantier puis la mise en service de l'ouvrage attireront un nombre élevé de visiteurs. L'exemple de l'aérogare d'Orly donne une idée de l'afflux probable de curieux. De plus, la côte de Calais à Boulogne et au-delà aussi bien que l'arrière-pays offrent des attraits qui commencent à être connus et méritent une mise en valeur plus intense.

Reste à calculer la puissance du tremplin que constituera le tunnel.

Certes, en bout de chaîne, il y a Paris et Bruxelles. Mais, entre Sangatte et ces deux capitales, il existe toute la région d'ancienne industrialisation du Nord – Pas-de-Calais et de l'ouest de la Picardie, qui devrait bénéficier du tremplin du tunnel.

Dans le document rédigé par le Groupe d'études du tunnel, on relève un chapitre concernant l'influence de l'ouvrage sur l'exploitation des entreprises calaisiennes. Le souci dominant est d'éviter que le tunnel sonne le glas des industries actuelles et interdise, en pompant toute la main-d'œuvre, la venue de nouvelles activités.

Avec le tunnel, la région du Nord bénéficiera d'une position exceptionnelle au milieu d'un courant de trafic considérable. Il suffit de voir le parti qu'ont su tirer les Belges et les Hollandais d'une position analogue pour être certain que les mêmes causes peuvent produire les mêmes effets.

AUGUSTIN LALEINE

47 VOL D'UNE PIERRE TOMBALE

Possédant un café près d'un cimetière de banlieue, M. Léon a commis un larcin original, car l'objet dérobé ne semblait pas avoir une valeur intrinsèque susceptible d'être facilement monnayée: il s'agit en effet d'une grosse boule de granit qui servait d'ornement funéraire, sur un caveau appartenant à la famille d'un architecte-urbaniste, professeur à l'Ecole des Beaux-Arts.

– *Mais enfin*, demandait le président du tribunal à l'auteur du vol, *que pensiez-vous en faire? La vendre? Il ne doit pas y avoir beaucoup d'amateurs Peut-être des marbriers?*

– *J'entendais bien la garder*, répondait le prévenu; *ce qui me séduisait, c'était sa forme, le grain de la pierre, son aspect décoratif, et je l'aurais placée à l'entrée du petit jardin qui se trouve devant mon estaminet. J'ajoute que je ne l'avais pas prise sur le tombeau, mais à côté, et j'ai même cru qu'elle provenait de la démolition d'un mausolée.*

– *Etiez-vous seul?* interroge encore le magistrat, *car l'enquête précise que la sphère pesait 95 kilos! Ce n'est point une chose qu'on emporte sous le bras. L'avez-vous fait rouler?*

L'hypothèse était exacte: imitant les rudes efforts de Sisyphe aux Enfers, le voleur l'avait hissée sur sa camionnette au moyen d'un plan incliné et, tout heureux de son acquisition gratuite, il rentra chez lui. Mais, bientôt, un fossoyeur qui, au comptoir, se refraîchissait le gosier, vit dans un coin ce bloc de granit qu'il avait déjà aperçu au milieu du cimetière. Le bavard ne put tenir sa langue. Et M. Léon vient d'être condamné à un mois de prison avec sursis.

La pierre s'est donc vengée en lui faisant subir un funeste choc en retour.

ROLAND BOCHIN

48 JE VOUDRAIS SAVOIR ...
Places assises dans les trains

De M. C.F., à Mulhouse (Bas-Rhin).

A plusieurs reprises il m'est arrivé, notamment pendant les dernières fêtes de fin d'année, de ne pouvoir trouver de place assise pour effectuer un long trajet dans un train pour lequel la S.N.C.F. m'avait délivré normalement un billet. Ayant trouvé une place en première, le contrôleur m'a fait payer un supplément. Est-ce légal? Quels sont les règlements? Si le nombre des places demandées aux guichets d'une gare excède celles qui sont utilisables, on devrait limiter leur délivrance. Si je prends un billet de théâtre ou de cinéma, j'exige et j'obtiens toujours une place assise, pourquoi pas à la S.N.C.F.?

REPONSE – La S.N.C.F., interrogée à ce sujet, affirme que tous les trains rapides directs ou express sont à nombre limité de places. Qu'en conséquence un voyageur de deuxième classe ne peut donc exiger une place assise que s'il en reste de disponibles, soit dans cette classe, soit dans la classe supérieure. Dans ce dernier cas il ne saurait l'occuper sans avoir acquitté un supplément de « surclassement ». C'est une explication assez discutable qui semble d'ailleurs se contredire. Toutefois il nous a été précisé qu'il est très difficile de garantir en toutes circonstances, dans un train donné, et dans la classe du billet utilisé, autant de places qu'il peut se présenter de voyageurs, et d'éviter que se produisent des surcharges. La S.N.C.F. reconstitue progressivement son parc de voitures et elle dédouble ses trains en fonction de ses possibilités et de l'afflux des voyageurs, mais il arrive que l'ampleur des variations du trafic n'a pas pu être estimée correctement.

49 UN CLIENT EN COLERE

Client d'une laverie proche de son domicile, M. Maillet se cabra lorsqu'un soir on lui rendit une blouse dont la couleur était devenue incertaine.

– *Mais enfin*, s'écriait-il, *vous l'avez passée au vitriol! Voyez plutôt. Elle est complètement déteinte. Je la refuse. Remboursez.*

– Pas du tout, ripostait le patron, vous nous apportez de vieilles nippes et vous avez la prétention de recevoir du neuf en échange. Allez ailleurs, et en vitesse.

Furieux, et bien décidé à casser les vitres, ce qui, dans sa pensée, n'était pas une simple image, le client rentra chez lui, empoigna un lourd marteau et descendit quatre à quatre.

Deux minutes plus tard, retentissait le fracas d'une glace qui vole en éclats, et un trou béant apparut dans la vitrine du magasin. Le commerçant, qui se trouvait au fond de sa laverie, pensa qu'un camion avait pulvérisé la devanture, mais il aperçut M. Maillet qui, sur le trottoir, brandissait encore son marteau, l'instrument de la vengeance.

Une plainte fut adressée au Parquet et le déprédateur vient de comparaître en correctionnelle.

– *J'avais le droit de protester,* affirmait-il. *Cette maison utilise des ingrédients beaucoup trop forts et le linge est bientôt réduit à l'état de guenille. Et puis, cet homme m'a profondément blessé en me flanquant à la porte. Il est vrai que je n'aurais jamais remis les pieds dans sa boutique.*

On peut... briser avec quelqu'un sans pour autant lui désintégrer ses glaces.

Le coupable va donc payer la réparation et, de surcroît, une amende de quatre cents francs. Il aura du mal, ce mois-ci, à boucler son budget.

ROLAND BOCHIN

50 UN CHASSEUR PEU EXPERT...

Cette histoire de chasseurs commence ainsi: « Le jour de l'ouverture 1965... ». Suivent, le lieu: « sur la route entre Broglie et Bernay (Eure) », et l'histoire proprement dite.

Le chasseur que personne ne connaît et qui n'a certainement pas l'intention de se faire connaître, voit un gibier volant. Un perdreau, disent les uns, un merle, pensent les autres. De toute façon, les experts commis auront sans nul doute à se faire une opinion sur l'espèce du volatile, mais là n'est pas la question, du moins pour l'instant.

Le fusil est rapidement mené crosse au défaut de l'épaule, l'œil vise, le canon de l'arme suit la cible et pan...

– *Raté!* précise le chœur de la rumeur publique.

Quelque peu effrayé, l'oiseau a disparu à l'horizon, mais sachez que la poudre de ce coup de fusil n'a pas été perdue pour tout le monde. Un réseau de circuits téléphoniques passait d'un poteau à l'autre dans la trajectoire des plombs et la ligne qui reliait les abonnés de toute la France avec ceux de Broglie a été sectionnée par les projectiles.

L'administration des Postes et Télécommunications n'a pas goûté l'extinction de voix infligée par cet incident de tir aux postes téléphoniques du secteur Broglie. Elle a fait réparer les dégâts puis elle a porté plainte. C'est maintenant aux gendarmes de la localité de compléter cette histoire d'ouverture en découvrant le nom du chasseur.

OUVERTURE DE LA CHASSE
(MOISSONS EN RETARD)

Il y a loin de la coupe au lièvre

PIEM

51 L'ESCROC ET LES CHRYSANTHEMES

Les escrocs sont pleins d'astuce, mais l'un d'eux, Bourdier, a finalement trouvé son maître.

Ayant pénétré dans le magasin d'une fleuriste d'Aubervilliers, il choisit deux chrysanthèmes et déclara: « *Ma femme les prendra ce soir en réglant la note.* »

S'étant éloigné, il réapparaissait au bout de cinq minutes et demandait: « *Auriez-vous l'obligeance de m'avancer dix francs, car je n'ai pas assez d'argent pour finir mes courses?* »

La commerçante refusa et, une heure plus tard, songeant à cet étrange client, elle pensa qu'il pourrait fort bien se présenter au second magasin de fleurs qu'elle possède à Aubervilliers dans une autre rue, boutique que tenait une de ses employées. Elle appela celle-ci au téléphone.

— *Effectivement*, dit la jeune fille, *un homme m'a commandé ce matin des chrysanthèmes que sa femme doit prendre ce soir en les payant. Il est parti puis est revenu. Il voulait que je lui prête dix francs. Moi, je l'ai envoyé sur les roses.*

Aussitôt la patronne décidait d'alerter une collègue installée à Pantin:

— *Mais oui*, répondit cette dernière, *un monsieur, qui sort d'ici, m'a passé une petite commande: ce sont des chrysanthèmes que je livrerai ce soir.*

— Vous a-t-il emprunté dix francs?

— *Non.*

— Eh bien, vous allez certainement le voir réapparaître. C'est un escroc qui a mis au point un stratagème assez habile. Faites-le arrêter s'il revient.

En effet, peu après, l'indélicat personnage se présentait de nouveau et répétait son boniment: « *Il me manque dix francs pour terminer mes courses, voudriez-vous me les avancer?* »

C'est un inspecteur de police qui lui donna la réplique.

Déféré au parquet, le coupable pourra s'écrier comme Raimu: « Cette histoire de chrysanthèmes... Oh! funérailles! »

ROLAND BOCHIN

52 ADIEU, PANIERS ...

Adieu paniers... Dans le Bordelais, les vendanges s'achèvent. L'été pluvieux les avait retardées; le soleil enfin apparu les a faites meilleures qu'on ne les attendait.

Les vendanges par beau temps sont peut-être la dernière activité rurale où se manifeste une allégresse spontanée. C'est qu'elles constituent un travail artisanal pratiqué en commun et de tradition très ancienne. En dépit d'un certain nombre de perfectionnements techniques, la cueillette du raisin ne se fait pas de manière différente de celle qui était en honneur au Moyen Age. La machine à séparer la grappe de sa tige sans intervention de la main humaine n'est pas encore inventée.

Bien que la besogne soit assez pénible, on n'a pas tout à fait désappris de regarder le temps des vendanges comme une période joyeuse. On s'embauche dans les troupes par familles organisées, mais aussi individuellement, et on a plaisir à se retrouver, au bout d'un an, dans la même équipe. Entre garçons et filles des idylles ébauchées se renouent. On plaisante, on chante, on est en général mieux nourri que chez soi et, la nuit venue, bien des possibilités sont offertes.

Un élément exotique est souvent formé par la présence de gitans venus grossir les troupes. Ils ont remplacé par des « caravanes » à traction automobile les charrettes et les haridelles de naguère; mais

ils sont toujours basanés, toujours volubiles, toujours un peu mystérieux, toujours flanqués d'une marmaille innombrable et dépenaillée.
Leur engagement terminé, ces farouches amants de la liberté
partent on ne sait trop pour où. Ils reviendront avant douze mois.

Lorsque, comme c'est le cas cette année, les vendanges ont lieu en
automne, le cadre est somptueux. En peu de jours, les feuilles des
pampres virent tantôt au brun rouge, tantôt au pourpre, tantôt au
carmin, tantôt elles parcourent toute la gamme des ors. Les brumes
matinales dissipées, c'est, quand le soleil est de la partie, le plus
diapré, le plus éblouissant des tapis qui se déroule à perte de vue.

Il y a certes quelque chose d'archaïque, voire de périmé, dans
cette bonne humeur et cette naturelle beauté. Technocrates et
planificateurs nous affirment, statistiques en main, que le Sud-Ouest
est « sous-développé » et qu'à cette déplorable situation il faut se
hâter de porter remède en multipliant les « implantations de combi-
nats industriels ».

Fort bien. L'industrialisation aura probablement pour effet de
relever le « niveau de vie » de la population. Tant pis si les vendanges
ne se font plus que par l'intermédiaire de coopératives rationnelles
et si disparaissent du même coup les caractéristiques originales des
crus particuliers.

Dans quelle mesure pourtant le rehaussement du niveau matériel
d'existence ajoutera-t-il à la satisfaction intime des intéressés?
L'acquisition du dernier modèle de machine à laver, d'un frigidaire
« extra-super » et d'un appareil de télévision perfectionné compen-
sera-t-elle le morne ennui de l'encasernement dans une H.L.M.[1] et
du travail à la chaîne?

Ces questions sont, je le crains, fort malséantes et il est parfaitement vain d'espérer freiner ce qu'on est convenu d'appeler le
progrès. Outre que, ce faisant, on s'exposerait à être traité de
« passéiste », ce qui, dans la bouche des jeunes d'aujourd'hui, est la
plus sanglante des injures.

Et cependant les jeunes eux-mêmes, s'ils sont enfants de bonne
mère, n'auraient-ils pas un instant de mélancolie le jour où, sous la
pression d'une industrialisation tentaculaire, on pourrait dire
définitivement:

« Adieu paniers, vendanges sont faites. »

JACQUES CHASTENET

53 SIR FRANCIS CHICHESTER

Pour récompenser Sir Francis Chichester, son navigateur solitaire,
et lui montrer sa joie et sa fierté, la Grande-Bretagne a déployé ce
matin tout son faste et son cérémonial traditionnels, toute sa gentillesse aussi. Sir Francis a été adoubé chevalier par la reine au Royal

1 Habitation à loyer modéré – state-owned **block** of flats for letting.

Naval Collège de Greenwich, sur la Tamise, à 25 kilomètres en aval du cœur de Londres, là où 386 ans auparavant Sir Frances Drake, le premier marin britannique à avoir fait le tour du monde, avait eu droit aux mêmes honneurs. Tout avait été mis en œuvre pour rendre la cérémonie aussi symbolique que possible. L'épée utilisée pour frapper l'épaule du nouveau chevalier était celle-là même qui avait touché l'épaule de Drake.

Dès 9 heures ce matin, une foule joyeuse et colorée avait envahi les abords de l'ancien palais de Charles II.

A proximité d'une des portes du Collège, un trois-mâts noir est à quai. Il s'agit du *Cutty Sark* le dernier des East Indian qui apportaient le thé des Indes. Sur le pont arrière, sous une toile, un orchestre déverse les flots d'une musique douçâtre et légèrement discordante.

Dans la cour du collège naval, les façades à colonnades contemplent un millier de privilégiés qui, sur des estrades, attendent l'arrivée de la reine. Beaucoup d'enfants parmi eux: il faut que les traditions restent vivantes. Au centre, un prie-Dieu recouvert de velours cramoisi et frangé d'or; à côté, sur une petite table, un coussin avec la décoration que Sir Francis Chichester va recevoir. Au loin, dominant une colline, on aperçoit le parc de Greenwich et son observatoire, où passe le fameux méridien.

10 h. 5. - Le *Gypsy Moth*, toutes voiles roulées, arrive à la perpendiculaire de l'embarcadère. On voit distinctement les taches de rouille sur sa coque. Le bateau passe au large et vire pour revenir accoster.

10 h. 12. - Annoncé par une sonnerie de trompettes, le cortège royal – trois Rolls-Royce noires – entre dans la cour. La reine descend sous les applaudissements de la foule. Elle est suivie du duc d'Edimbourg et de deux dames d'honneur.

10 h. 22. - Pendant ce temps, le *Gypsy Moth* a accosté l'embarcadère où attendent huit hommes tout de rouge vêtus: ce sont les watermen de la reine. De toutes parts, les sirènes cornent, les applaudissements saluent Sir Francis, qui arrive dans la cour. Il est entièrement habillé de noir et est suivi de son épouse, de son fils et d'un ami. Lady Chichester a arboré une tenue particulièrement extraordinaire: un costume – veste et pantalon – rouge cerise, sandales et lunettes de soleil. Sur la tête un foulard retient ses cheveux. La reine accueille le navigateur et les siens.

Puis, à 10 h. 27, c'est la cérémonie proprement dite. Elle est marquée d'une grande simplicité. Sir Francis s'agenouille sur le prie-Dieu. La reine le frappe légèrement du plat de l'épée, une fois sur chaque épaule, et lui remet l'ordre de l'Empire britannique.

Trois minutes plus tard, le petit groupe procède vers le *Gypsy Moth* qu'encerclent des bateaux de toutes tailles. La reine disparaît dans l'entrepont, guidée par Sir Francis.

A 10 h. 40, elle émerge, toujours suivie du prince Philip. Ils se font expliquer quelques détails par le nouveau chevalier.

Cinq minutes plus tard, ce sont les adieux. Les trompettes sonnent de nouveau. Le cortège royal s'ébranle, tandis que Sir Francis regagne son bord. Il se dirige alors sur la cité de Londres, où l'attend une réception grandiose.

ROBERT DE SUZANNET

54 POURQUOI LES ANGLAIS ROULENT A GAUCHE ...

Curieuses gens, pensez-vous immédiatement lorsque est évoquée la coutume de rouler à gauche qu'ont les Britanniques. Pourquoi donc ne peuvent-ils pas faire comme tout le monde et rouler à droite, tout naturellement... Mais est-il vraiment « naturel » de rouler à droite? Si vous avez jamais tourné sur une piste avec quelque machine roulante que ce soit, vous savez que le sens de giration normale est à gauche. Même en roulant simplement sur route, vous avez certainement constaté qu'il était plus aisé de prendre les virages à gauche que les virages à droite.

Une intéressante explication (anglaise) de cette tendance à gauche de la locomotion humaine est d'ordre biologique. Le cœur se trouve sur le côté gauche, il a, d'autre part, toujours été considéré comme l'organe le plus « vital » de l'être humain. C'était donc au bras gauche qu'était porté le bouclier depuis la plus haute des belliqueuses antiquités.

La main gauche étant ainsi occupée, l'arme offensive était forcément tenue dans la main droite et elle se rengainait dans un fourreau, ainsi que chacun sait. Pour utiliser le sabre avec la main droite, le fourreau devait obligatoirement être porté sur le côté gauche. Aux longues époques où le sabre était l'arme normale, le moyen de locomotion normal des manieurs de sabre fut le cheval.

Et c'est ici que les choses se compliquent ou s'expliquent.

Avec un fourreau de sabre accroché au côté gauche, il était physiquement impossible de monter en selle par le côté droit du cheval, à moins d'avoir l'intention de chevaucher face à sa queue, ce qui n'était pas de pratique courante. Le cavalier devait donc pratiquement toujours se mettre en selle par le côté gauche du cheval. C'est d'ailleurs ce que continuent à faire les cavaliers modernes, bien qu'ils soient allégés depuis longtemps du sabre et de son fourreau.

Pour monter à cheval par le côté gauche, il était naturel que le cavalier désirât placer son cheval sur le côté gauche de la route. Ainsi évitait-il de se trouver aux dangers de la circulation pendant qu'il se mettait en selle. C'est de cette précaution que sortit la pratique de circuler à gauche... sauf dans quelques pays arriérés, disent les Britanniques... la circulation à droite étant contraire à tous les instincts biologiques et historiques de l'humanité.

Pour simplifier ce raisonnement tiré par les chevaux,[1] si j'ose dire, les Anglais auraient pu tout bonnement rappeler que la majorité des sabreurs étaient droitiers... Mais peut-être préfèrent-ils passer sous silence cet argument, qui est précisément l'un de ceux qu'emploient les partisans de la conduite à droite.

Si l'implacable logique de ce raisonnement ne vous a pas suffisamment convaincu, sachez que nos amis anglais nous fournissent d'autres explications (anglaises), également de nature historique, équestre et belliqueuse, pour justifier leur règlement routier.

A l'époque où la circulation des voitures à chevaux commença à se développer en Angleterre, les routes étaient tellement infestées de bandits de grand chemin que les cochers furent entraînés à rouler constamment à gauche, parce qu'il leur fallait tenir les rênes de la main gauche... afin de conserver leur main droite libre pour se servir de leur pistolet. Lorsque arriva l'automobile, personne en Grande-Bretagne ne vit aucune raison de bouleverser toutes les lois de la nature en reportant tout le trafic à droite, alors que la circulation à gauche donnait satisfaction à tout le monde (sauf peut-être aux bandits) depuis des temps immémoriaux.

Divers historiens britanniques font, en effet, remonter l'origine de la circulation à gauche à des époques beaucoup plus anciennes encore. Dans l'ancien empire romain, rappellent-ils, la circulation se faisait à gauche, parce que les cochers de chars et autres véhicules attelés tenaient ce côté de la route afin d'avoir, sur leur droite, le champ libre pour manier le long fouet qui était en quelque sorte leur accélérateur. Cette coutume de la circulation à droite aurait été introduite au galop (au galop romain, si j'ose dire) des quatre-chevaux modèle Jules-César.

ROGER DELORME

1 correctly 'tiré par les chevaux' – 'far-fetched'.

55 UNE ELECTION PRESIDENTIELLE
Qui peut être candidat?

Tous les Français ou naturalisés depuis plus de cinq ans, jouissant de leurs droits civiques, peuvent être candidats, pourvu qu'ils aient vingt-trois ans accomplis.

Est-ce à dire que M. X., fort de ses vingt-trois ans et de sa seule bonne volonté, peut écrire au Conseil constitutionnel – Palais Royal, Paris-1er – pour faire acte de candidature? Non: il doit encore être présenté par un certain nombre de citoyens, des « parrains », si l'on veut. Sans quoi sa candidature ne serait pas régulière.

Quels sont les parrains prévus par la loi?

Chaque candidat doit être présenté par au moins *cent* citoyens, mais pas n'importe lesquels. Ils doivent être membres du Parlement, ou du Conseil économique et social, ou encore conseillers généraux, ou, enfin, maires élus.

Un député ou un sénateur étant le plus souvent maire ou conseiller général, on peut dire qu'il y a en France environ trente-huit mille personnes autorisées à parrainer un candidat.

Une candidature ne peut être retenue que si les cent signataires appartiennent au moins à dix départements ou territoires d'outre-mer différents.

Il va de soi qu'un même parrain ne peut présenter deux candidats.

Les noms des parrains ne sont pas rendus publics, du moins officiellement. Mais il est probable que les candidats voudront se prévaloir de leur soutien.

Quand les présentations doivent-elles être faites?

Après la publication du décret convoquant les électeurs et jusqu'au dix-neuvième jour précédant le premier tour de scrutin. C'est-à-dire, pour cette élection, entre le 29 octobre et le 16 novembre, à minuit.

Qui vérifie leur régularité?

Le Conseil constitutionnel, qui s'assure, en outre, que les candidats présentés... sont bien consentants.

Il pourrait prendre fantaisie, par exemple, à cent députés de présenter un de leurs amis... sans que celui-ci le sache.

Quand sera publiée la liste officielle?

Au plus tard dans le *Journal Officiel* du 19 novembre. Ainsi, on le voit, le Conseil constitutionnel dispose-t-il de deux jours (du 16 au 18 novembre) pour vérifier le consentement des candidats et la régularité des présentations.

Les candidats doivent-ils verser un cautionnement?

Ils doivent verser entre les mains du trésorier-payeur général de leur domicile la somme de dix mille francs avant le 18 novembre à minuit. Ce cautionnement sera remboursé aux candidats ayant obtenu au moins 5 % des suffrages exprimés.

Qui contrôlera la campagne?

Une commission nationale de contrôle aura pour mission de veiller au respect du principe selon lequel tous les candidats bénéficient de la part de l'Etat des mêmes facilités.

Cette commission sera assistée de quatre fonctionnaires représentant les ministères des départements d'outre-mer, de l'Intérieur, des P.T.T. et de l'Information.

Comment s'effectuera-t-elle à l'O.R.T.F.?[1]

Chaque candidat disposera au total de deux heures d'émission télévisée et de deux heures d'émission radiodiffusée.

Toutefois, s'il y a un trop grand nombre de candidats, cette durée pourra être réduite par décision de la commission nationale de contrôle. Mais cette décision doit être prise avant le 20 novembre à minuit. C'est donc à partir du 21 que les émissions commenceront sans doute.

Le ministre de l'Information fixe le nombre et les horaires des émissions. Selon les éléments dont nous disposons, la répartition serait la suivante pour chaque candidat: deux émissions de trente minutes chacune, deux émissions d'un quart d'heure, trois émissions de dix minutes.

L'ordre de passage sera déterminé par tirage au sort.

Chaque candidat utilise personnellement les heures d'émission. Cependant, les partis qui le soutiennent pourront être autorisés à y participer.

L'état participe-t-il aux frais?

L'Etat prend en charge directement certaines dépenses:

● *Coût du papier, impression et mise en place des bulletins de vote et des déclarations qui sont envoyées à chaque électeur.*

● *Coût du papier, impression et frais d'apposition des deux affiches officielles de chaque candidat; c'est-à-dire celles qui seront collées sur les panneaux traditionnels, et qui seront les mêmes pour toute la France.*

● *En outre, l'Etat versera une somme forfaitaire de cent mille francs à chaque candidat ayant obtenu au moins 5 % des suffrages exprimés.*

Ainsi tout candidat qui ne parvient pas à grouper sur son nom 5 % des suffrages exprimés:

1 *perd le cautionnement de dix mille francs qu'il a versé;*

2 *n'a pas droit à la somme forfaitaire de cent mille francs pour frais de campagne électorale.*

1 Office de la Radio-Télévision Française.

Quelle est la majorité requise pour être élu au premier tour?

La majorité absolue des suffrages exprimés.

Les heures d'ouverture et de clôture du scrutin seront prochainement fixées. Il semble que dans les villes de plus de 30.000 habitants le scrutin sera clos à 20 heures et ailleurs à 19 heures.

S'IL Y A UN DEUXIEME TOUR
Combien peut-il rester de candidats?

Deux et deux seulement. Restent en présence les deux candidats qui ont recueilli le plus grand nombre de suffrages au premier tour. Les autres sont automatiquement éliminés.

Est élu, bien sûr, celui des deux candidats qui arrive en tête.

Quand s'ouvre la campagne électorale?

Dès la publication des noms des deux candidats habilités à se présenter.

Les candidats disposeront pour ce second tour de deux heures d'émission télévisée et de deux heures d'émission radiodiffusée.

Sujets à discuter

(The number refers to the extract)

1 L'attrait des vacances en caravane.

2 Si vous aviez le choix, où préféreriez-vous descendre – dans un hôtel modeste ou dans un hôtel de luxe, et pourquoi?

3 La télévision est-elle, selon vous, bénéfique ou nuisible? Doit-elle distraire ou instruire?

4 De quoi l'auteur se moque-t-il dans cette chronique?

5 L'attrait des sports d'hiver pour le citadin.

6 Comment expliquez-vous la manie de collectionner?

7 Les inconvénients des avions supersoniques devraient-ils être acceptés?

8 L'importance de l'opération « Concorde » pour la France et la Grande-Bretagne.

9 Discutez l'avis de l'auteur: « Il y a en tout un point de perfection: le dépasser c'est tomber du mieux dans l'excès, du bon dans le pire. »

11 Quelle mode de voyager choisiriez-vous de préférence – l'avion, le train, le paquebot ou l'automobile?

12 Quel plaisir peut-on trouver à visiter un endroit tel que les égouts d'une grande ville?

13 Le Parisien se sert de plus en plus de sa voiture pour se rendre à ses occupations quotidiennes. Quels problèmes ce phénomène crée-t-il?

15 A qui donnez-vous raison – aux démolisseurs ou à l'auteur?

16a La vie d'un banlieusard.
  b Quand vous prenez le train, quel stratagème employez-vous pour avoir une place assise?

17 Aimez-vous les visites aux monuments historiques?

18a « L'étalement des vacances, c'est très joli . . . mais c'est impossible. » Discutez.
  b Le charme de Paris au mois d'août.

19 En vous réveillant, vous vous êtes aperçu que la terre était couverte de neige. Quelles en ont été les conséquences pour vous?

22a Si vous étiez étudiant, comment gagneriez-vous l'argent nécessaire pour vos vacances?
  b Comment préférez-vous passer vos vacances, et pourquoi?

23 Les avantages et les inconvénients des Maisons Familiales de Vacances.

24 Inventez une page de « Messages Touristes ».

25 Cet extrait cache une vérité. Essayez de la dégager.

27 Pourquoi la mode change-t-elle si souvent?

28 Vous vous trouvez obligé(e) d'appeler par téléphone une des organisations suivantes. Ecrivez la conversation qui s'ensuit:
  Poly-Nett (Nettoyage de Vêtements)
  Allô-Course (Transports dans Paris)
  Madame-Service (Aide familiale)
  Pépin-Secours (Tous accidents ménagers)

29 Ecrivez une lettre au rédacteur d'un journal pour vous plaindre de la qualité d'une marchandise que vous avez achetée.

30 Si vous étiez membre d'un conseil municipal de jeunes dans votre ville, quelles réformes voudriez-vous y apporter?

31 Le problème de la délinquance juvénile.

32 Expliquez l'origine des « bidonvilles ».

33 Faites une comparaison entre les activités culturelles des étudiants français et celles des étudiants de chez vous.

34 Les animaux au service de l'homme.

35 Les jeunes sont-ils à votre avis, des conducteurs dangereux?

36 Le « franglais » est-il aussi regrettable qu'on le prétend? En connaissez-vous des exemples?

37 Inventez un fait divers qui mériterait de figurer au « tableau d'honneur du tourisme » chez vous.

38 Que feriez-vous, au cours d'un long voyage, pour éviter la fatigue au volant?

39 Les avantages de la bicyclette comme moyen de transport.

40 Mettez-vous à la place d'un conducteur à qui l'on a retiré sur-le-champ son permis de conduire. Racontez comment vous avez pu rentrer chez vous.

41 Discutez la tradition d'offrir des pourboires.

42 Pour quelles raisons le congé scolaire du samedi serait-il préférable au congé du jeudi?

43 En essayant de téléphoner à la police, après un accident de la route dont vous avez été témoin, vous trouvez que tous les appareils téléphoniques de la rue sont hors d'usage. Dites ce que vous faites.

44 Quelles sortes de représentations théâtrales vous attirent le plus?

45a « La jeunesse sauve tout. » Etes-vous de cet avis?
  b Pourquoi reproche-t-on aux jeunes leur préférence pour les cheveux longs?

46 Quels seraient, d'après vous, les principaux avantages d'un tunnel sous la Manche?

48 Inventez un dialogue entre un voyageur muni d'un billet de deuxième classe, et qui a occupé une place en première, et un contrôleur qui lui demande de payer un supplément de « surclassement ».

49 Ecrivez la conversation entre le client et le propriétaire de la laverie.

51 Mettez-vous à la place de l'inspecteur de police et racontez ce qui est arrivé.

52 Dans quelle mesure l'élévation du niveau de vie ajoute-t-elle à la satisfaction intime de l'individu?

53 Expliquez le vif intérêt porté aux exploits de Sir Francis Chichester.

Vocabulaire

A

un **abonné**, subscriber
abordable, within reach
un **abordage**, boarding, grappling
aboutir à, to lead to, end in
s'abriter, to shelter
acier (*m*) **inoxydable**, stainless steel
une **adhésion**, membership
adouber, to dub
affecté à, used for
afficher, to display a notice
afficher complet, 'No vacancies'
une **affluence**, crowding
aux heures d'affluence, in the rush hour
alimentaire, selling food
allocations (*f pl*) **familiales**, family allowances
un **aménagement**, equipping, fitting-out
une **amende**, fine
amer, bitter
amorcer, to begin, embark upon
arborer, to put on
un **aréopage**, assembly, tribunal
un **arpenteur**, surveyor
artisanal, un travail artisanal, craft
une **assistante sociale**, social welfare worker
astuce (*f*), cunning, guile
un **atelier**, workshop
s'autodéterminer, to achieve independence, decide one's future
un **avis (de droit)**, right of expressing an opinion

B

une **baguette**, long French loaf
bailler, to yawn, gape; (*here*) to shout
une **banlieue**, suburb
un **banlieusard**, commuter
une **baraque**, hut
basané, tanned
un **bénéfice**, advantage, profit
un **berger allemand**, sheep-dog
une **besace**, bag
un **bibelot**, knick-knack, trinket

un **bidon**, can, drum
un **bilan**, balance-sheet
blafard, pale, wan
un **blindé**, armoured car
bottes (*f pl*) **à cuissards**, thighboots, waders
boucler, to lock up
boucler son budget, to make ends meet
un **bouclier**, buckler, shield
bouder, to sulk, be unfriendly towards
à bout portant, point blank
un **braconnier**, poacher
un **brancardier**, stretcher-bearer
une **breloque**, charm, trinket
un **brevet (de secouriste)**, first-aid certificate
une **brochette**, skewer
brûler (un stop), to ignore a 'halt' sign
un **bulletin**, voting-paper

C

un **cabas** (*mot provençal*), flat straw basket
se cabrer, to jib
un **cadenas**, padlock
une **cadence**, rhythm, rate
un **cadre**, group comprising managerial class
une **caisse**, fund
une **cale**, chock
un **camion-benne**, tipping-lorry
une **caniche**, poodle
la **canicule**, great heat
un **cantonnier**, road-mender
capillaire, (relating to) hair
une **carence**, scarcity, lack
un **carreau**, window-pane
une **caution**, security, guarantee
un **cautionnement**, deposit
un **caveau**, vault
la **cécité**, blindness
un **censeur**, person responsible for discipline in a *lycée*
centenaire, century-old
à la chaîne, mass-production
un **chantier**, work-site
en chantier, on the stocks
un **chapardage**, theft

une **chape**, coating
un **chauffard**, road-hog
chaulé, limed
chevelu, long-haired
chômé, **un jour chômé**, holiday
une **cible**, target
une **cime**, summit
cintré, shaped, curved
un **cirage**, wax-polish
une **clé (anglaise)**, screw-spanner
clinquant, showy, bright
un **clochard**, down-and-out, vagrant
un **colombophile**, pigeon-fancier
combler, to fill
un **comédien**, actor
composer un indicatif, to dial a code
composer avec, to come to terms with
un **compteur**, meter
un **contentieux**, legal claims department
une **contrefaçon**, imitation
un **contrevenant**, offender
convoquer, to call, summon
une **copie**, examination script
la **coqueluche**, whooping-cough
une **cordelière**, girdle
un **cornichon**, gherkin
une **corvée**, fatigue, drudgery
la **cote**, grading, popularity
cotiser à, to subscribe to
des **cours** (*m*) **particuliers**, course of private lessons
couver, to hatch
la **crasse**, dirt
la **croissance**, growing-up
un **croquis**, sketch
croquer sur le vif, to make quick sketches
une **crosse**, butt (of rifle)
mené crosse au défaut de l'épaule, brought up to the shoulder
un **croulant**, old fogey
un **cru**, plantation, vineyard
une **cunette**, drain
une **cure**, course of treatment
un **cyclomoteur**, moped

D

daller, to pave
un **débarras**, clearing-out, removal
déblayer, to clear away

un **débouché**, outlet
une **débrouillardise**, resourcefulness
se **débrouiller**, to manage, get on well
déceler, to disclose, divulge
déclencher, to release, set off
un **défi**, challenge
lancer (relever) un défi, to throw down (take up) a challenge
dégâts (*m pl*), damage
dégoulinant, dripping
une **dégringolade**, tumble, headlong rush downhill
déguster, to taste, savour
déjections (*f pl*), excrement
un **délai**, time limit
délaisser, to neglect
délassant, relaxing
délié, slender, fine
se **délier**, to be loosened
un **délit**, offence
démanger, to make itch
dénicher, to find, unearth
dénouer, to unravel
un **dentier**, set of false teeth
un **dépannage**, **un service de dépannage**, breakdown rescue service
dépanner, to rescue, come to the help of
déparer, to spoil the beauty of
se **dépayser**, to be out of one's element
se dépayser le palais, to find the food strange
dépenaillé, in rags
se **déplacer**, to get about
à la **dérive**, adrift
désabusé, disillusioned
une **désaffection**, change of use
le **désarroi**, dismay
un **désistement**, cancellation, withdrawal
en **détail**, in small numbers
le détail, retail
se **détendre**, to relax
détenir, to possess
une **détente**, relaxation
un **devis**, estimate
diapré, variegated
différer, to postpone
disponible, available
un **dispositif**, apparatus, equipment
données (*f pl*), data, information

où donner de la tête, which way to turn

un doublage, lining

dresser, to train

le droit, law

une droite, straight line

E

une ébauche, sketch

un éboueur, refuse collector

ébouriffant, startling

ébouriffé, dischevelled

ébranler, to shake

s'ébranler, to move off

un échangeur, inter-change

un échantillon, sample

échappement (*m*), exhaust gases

une echéance, date (at which something falls due)

un échelon, rung

un écran, screen

écrouer, to commit to prison

un écusson, shield, coat of arms

effilé, tapering

s'effondrer, to collapse

un égout, sewer

un égoutier, sewer-man

s'embaucher, to get oneself taken on, to enlist

un embouteillage, traffic jam

une embûche, ambush

s'émouvoir, to be concerned

s'emparer de, to seize

empoigner, to grasp

encadrer, to provide officials for

encourir (une amende), to incur a fine

endeuiller, to sadden

endiguer, to contain

s'énerver, to get excited

énervé, irritable, over-excited

enfourcher, to jump on to

un engouement, craze

enlevé, light, gay (of a play, etc.)

s'enorgueillir de, to be proud of

une enseigne, sign

entêtant, which makes the head ache

envoyer sur les roses, to send away with a flea in his ear

éplucher, to skin

une éponge, sponge

passer l'éponge, to wipe the slate clean

une équipée, enterprise, escapade

un érysipèle, erysipelas (skin disease)

un escargot, snail

un escroc, swindler, crook

un estaminet, bar

en espèces, in cash

s'essouffler, to get out of breath

une estafette, small van

estival (*adj*) summer

un estivant, holiday-maker

une estrade, dais

établir une procédure, to make a charge

étaler, to spread over, display

un étalement, staggering

étanche, tight, sealed

une étape, lap, stopping-place, stage

étayé, supported

une étoffe, material

un éventail, fan; (*here*) spread, range

éventrer, to tear open

éventuel, possible

F

factice, artificial

une facture, bill, account

facultatif, optional

faire fide, to turn up one's nose at

farniente, idleness, doing nothing

farouche, fierce

un faste, display, splendour

ferrailles (*f pl*), old iron

féru de, passionately keen on

de fil en aiguille, gradually

une filiale, subsidiary company

un filon, vein, seam, (*here*) money for old rope

la fiscalité, taxes

en flagrant délit, red-handed

flâner, to stroll

flâner au lit, to laze

un fléau, scourge

un foie, liver

foisonner, to abound

un fonctionnaire, administrator, civil servant

un fondant, flux

forer, to excavate, bore

forfaitaire, une somme forfaitaire, lump sum

une formation, training

une formule, scheme, arrangement

de fortune, makeshift

un fossoyeur, grave-digger

fouiller, to excavate, penetrate

un four, oven
fourbir, to polish, smarten up
un fourreau, sheath, scabbard
frais (*m pl*), expenses
franchir, to cross, accomplish
un francophone, speaker of French (as native tongue)
froissé, crumpled
une frousse, fright
une fugue, break-out, escapade
une fuite, leak

G

galvauder, to botch
gêner, to embarrass
gérer, to manage
un gitan, gypsy
un glas, death-knell
un gosier, throat
gracier, to reprieve
graphologique, handwriting
gré, de bon gré, willingly
un grenier, loft
une grève, strike
un gri-gri, amulet, charm
une griserie, intoxication, thrill
grouiller, to seethe, swarm
une guenille, rags
guise (*f*), **à leur guise**, in their own way

H

un habitacle, cockpit
haler, to tow, haul
une haridelle, old horse
un hectare, hectare, i.e. 2.47 acres
hisser, to hoist

I

immatriculé, registered
important, large, considerable
un incident, accident, emergency
une insigne, badge
insolite, unusual
une insonorisation, sound-proofing
une intoxication, poisoning

J

une jauge, gauge
un jeu (de quilles), game of skittles
joncher, to litter, strew
un joug, yoke, restriction

L

une laverie, laundry
léser, to injure
un lévrier, greyhound
lézardé, cracked
une liane, liana (tropical creeper); (*here*) network of electric wiring
se lier, to make friends
liminaire, preliminary
limitrophe, bordering, neighbouring
lisse, smooth, sleek
se livrer à, to indulge in
un local carcéral, place of detention
une location, hiring, letting
un lutin, sprite, imp

M

la main-d'œuvre, manpower
une maison de redressement, 'borstal'
une majoration, increase
malin, wily, shrewd
malséant, out of place
une maquette, model
un marbrier, monumental mason
une marmaille, swarm of brats
une marotte, fad, craze
marrant, funny
un marron, chestnut; (*also*) marked counter: *hence* dishonest
une matraque, bludgeon
le mazout, fuel oil
mener, n'en pas mener large, to have little hope
la menuiserie, carpentry
un merle, blackbird
une meule, millstone
la mise en train, getting into one's stride
la modicité, lowness (of cost)
un mollet, calf (of leg)
un moniteur (une monitrice), helper, instructor (in 'colonie de vacances' etc.)
un montant, total, amount
un mouchard, informer
une moulure, moulding (ornamental)

N

nanti de, in possession of
une narine, nostril
une navette, shuttle-service
néfaste, harmful, evil
néophyte, new, inexperienced

nerveux, (*here*) neat, trim
nippes (*f pl*), old clothes
un **niveau,** level
un **nourrisson,** very young baby
nuisible, harmful

O

une **œuvre sociale,** welfare organisation
une **officine,** shady organisation
s'**offrir,** to afford
opportunité (*f*), timeliness, advisability
ordures (*f pl*) **ménagères,** household refuse
orge (*f*), barley
un **ourlet,** hem
ouvrable, un jour ouvrable, working-day

P

à la **page,** up-to-date
paille (*f*) **de fer,** iron shavings (for scrubbing floor)
un **palais,** palate
un **palier,** landing, level
un **palmarès,** prize-list, honours list
un **pampre,** vine-branch
une **panne,** breakdown
un **panneau,** hoarding
parachever, to complete
un **paratonnerre,** lightning-conductor
le **Parquet,** magistrates' court
un **parrain,** god-father, sponsor
partant, therefore, consequently
un **parvis,** square in front of church
un **passage clouté,** pedestrian crossing
en **passe d'être,** on the way to being
passer outre, to go further
se **passer de,** to do without
passible de, liable to undergo
un **pastis,** liqueur (aniseed flavour)
une **pâte feuilletée,** flaky pastry
une **pénurie,** shortage
un **perdreau,** young partridge
périmé, out-of-date
la **pétanque,** game of bowls (popular in the South of France)
un **pétrin,** kneading-trough
un **phare,** lighthouse
une **pièce de rechange**
à **pied d'œuvre,** on site

un **piège,** trap
piétiner, to trample
un **pinson,** finch
une **piste,** runway, ski-run
un **plafond,** cloud base
un **planificateur,** planner
un **plateau,** stage
un **plongeur,** washer-up (in café)
une **pluche (peluche), un tour de pluche,** polishing
un **pointeur,** thrower (in 'pétanque')
un **porte-clés,** key-ring
à la **portée de,** within reach of
porter plainte, to lodge a complaint
une **poubelle,** rubbish-bin
pourvoir, provide, fill
se **prévaloir de,** take advantage of
une **prime,** bonus, reward
primer sur, to occupy first place
primordial, prime
un **procès-verbal,** summons
dresser procès-verbal à, to serve with a summons
un(e) **profane,** uninitiated person
un **prospectus,** leaflet
un **pullulement,** proliferation
une **pulsion,** impulse

R

en **rabattre,** to climb down (*fig*)
un **raccommodage,** repairs (clothing, furniture)
de **race,** pedigree
un **radier,** sill (of lock gate)
en **ralenti,** at a slow pace
une **rame,** train
une **rape,** grater
ravaler, restore, clean, reduce, bring down
rebuté, put off
un **rebroussement,** turning back
rechigner, to jib
rédiger, to draw up, compose
redressement, une centrale (maison) de redressement, detention centre
relever de, to depend on, come under the heading of
remblayer, to fill up, bank up
remettre à neuf, to restore (by cleaning, etc.)
une **remise,** delivery
une **remorque,** trailer, towed vehicle
se **rengainer,** to be sheathed

une **rentabilité**, income-earning capacity, rentable, a paying proposition

répartir, to scatter, space out

un **repassage**, ironing

un **repère**, reference mark, landmark

une **reprise**, pick-up, acceleration

un **ressemelage**, re-soling

se **ressentir de**, to be affected by

un **ressort**, spring

ressortir de, come into the category of

une **retraite**, retirement

révolus, les temps révolus, time past, former days

une **ristourne**, refund, rebate

ronger, eat into

roublard, cunning, wily

un **roulement**, rota system

se **ruer**, to rush

ruser, to exercise cunning

S

saucer, to dip in sauce: (*hence*) to drench

un **scrutin**, voting

séculaire, centuries-old

la **Sécurité Sociale**, State welfare Insurance

une **smalah**, household of an Arab chief

la **sœur tourière**, nun responsible for external relations

le **son**, husk

une **standardiste**, telephone operator

une **sujétion**, responsibility

T

un **tacot**, old crock

un **tremplin**, spring-board

une **trêve**, truce

faire trêve, to let up

un **triage**, sorting out

un **tronçon**, section

un **truchement**, intermediary, aid

une **tuyauterie**, piping

T.V.B., tout va bien

U

urbanisme (*m*), town-planning

V

une **vareuse**, jersey

vase, en vase clos, in secret

un **vernis**, varnish

verser, to pay

vertigineux, astronomical (of prices)

virer, to turn

visser, to screw

le **vitrage**, windows, glass

la **vitrerie**, glazing

une **vitrification**, polishing (of floors)

voire, even

avoir voix au chapitre, to have a say

un **volant**, driving wheel

voltiger, to flutter

Y

un **yaourt** (*m*), yoghourt

Z

un **zazou**, term used in 1940s of eccentric young people

ALSO FROM LONGMAN

Selections from contemporary press writing in
French, German and Italian

Les meilleures pages du 'Figaro' G. J. P. Courtney
Extracts from the best in French newspaper writing, covering a
wide range of subjects and aiming to provide a stimulus for
discussion and written work.

Spiegel der Zeit Gertrud Seidmann
An introduction to current affairs in Germany drawn from all
sides of the weekly newspaper 'Die Zeit'. Illustrated by diagrams,
cartoons and photographs, and containing notes and exercises.

Un'antologia della stampa italiana H. W. Smith
A lively miscellany from all types of Italian press writing,
from the popular weekly to the academic journal.
Explanatory notes and vocabulary.

*All three are suitable for post 'O' level work in sixth forms,
technical colleges and advanced evening classes.*